Depois dos quinze

Quando tudo começou a mudar

Bruna Vieira

Depois dos quinze
Quando tudo começou a mudar

crônicas e contos

GUTENBERG

CAPA E PROJETO GRÁFICO
Diogo Droschi

ILUSTRAÇÃO
Giovana Medeiros

FOTOGRAFIAS
Marcelo Werneck
José Luiz Zorzan
Mari Milanezi
Luzia Vieira
Jamila Tanaka

EDITORAÇÃO ELETRÔNICA
Christiane Morais

REVISÃO
Eduardo Soares
Cecília Martins

EDITORA RESPONSÁVEL
Rejane Dias

Revisado conforme o Acordo Ortográfico da Língua Portuguesa de 1990, em vigor no Brasil desde janeiro de 2009.

EDITORA GUTENBERG LTDA.

São Paulo
Av. Paulista, 2073, Conjunto Nacional, Horsa I, 11º andar, Conj. 1101
Cerqueira César . 01311-940
São Paulo . SP .
Tel.: (55 11) 3034 4468

Belo Horizonte
Rua Aimorés, 981, 8º andar .
Funcionários . 30140-071 .
Belo Horizonte . MG
Tel.: (55 31) 3214 5700

Televendas: 0800 283 13 22
www.editoragutenberg.com.br

Dados Internacionais de Catalogação na Publicação (CIP)
(Câmara Brasileira do Livro, SP, Brasil)

Vieira, Bruna
    Depois dos quinze : quando tudo começou a mudar / Bruna Vieira .
-- Belo Horizonte : Editora Gutenberg, 2012.

    ISBN 978-85-8235-013-3

    1. Literatura juvenil 2. Crônicas 3. Contos I. Título.

12-12774   CDD-869.93

Índice para catálogo sistemático:
1. Crônicas : Literatura brasileira 869.93

Dedico este primeiro livro a todos os caras que conheci e que me fizeram, seja por qual motivo for, abrir o bloco de notas em uma madrugada qualquer e escrever. Dedico à minha família, que me ensinou a enxergar o mundo de um jeito diferente, quando eu ainda nem podia sentar no banco da frente do carro. Dedico, por fim, às minhas leitoras, que no decorrer dos últimos três anos se tornaram também minhas melhores amigas.

The biggest adventure you can take
is to live the life of your dreams.
Oprah Gail Winfrey

Vi(ver)
(a)
Lou(cura).

O começo

Transformar sentimentos em palavras foi a única maneira que encontrei de desabafar e escapar sutilmente para uma realidade inventada onde as pessoas – e os personagens – não me julgavam ou diziam como eu deveria me sentir. Vocês vão dizer que aos quinze anos nós ainda não sabemos nada da vida. Concordo plenamente. Foi justamente tentando descobrir, com o notebook aberto em cima da cama e a luz do quarto apagada, que essas histórias, às vezes imaginadas, às vezes lembradas, foram surgindo.

Poucas coisas me completam mais nesta vida do que saber que meus textos estão sendo lidos e sentidos por aí. É quase como ouvir o "eu te amo" daquela pessoa especial. Acredito que essa compreensão é algo que todo ser humano busca em sua existência. Seja cantando em shows, construindo uma família, viajando o mundo e conhecendo culturas diferentes ou, no meu caso, publicando um livro e compartilhando em folhas de papel tudo aquilo que um dia era segredo e só existia no compasso das batidas do meu pobre e agora acelerado coração. Obrigada, mais uma vez, por me proporcionarem isso todo santo dia.

Bom, antes de começar, queria contar uma pequena história para vocês: eu tinha acabado de descobrir o que era se apaixonar por alguém de verdade. Até então, todas as minhas paixões eram platônicas e não passavam de romances virtuais. Os garotos com quem eu conversava, através de uma espécie de vida on-line (popularmente conhecida como "fake"), nem faziam ideia de como eu realmente era. Um mundo paralelo, que mesmo sendo, como o próprio nome já diz, falso me ajudou a perceber que na vida real a timidez era a única coisa que me fazia ser uma garota solitária. Na internet, longe dos olhares das pessoas que me conheciam desde criança, eu poderia ser (e era) quem eu quisesse. Livre para me apaixonar e ser apaixonante.

As coisas começaram a mudar quando fui para uma nova escola, no ensino médio. Novo grupo de amigos, uma nova rotina sem muito tempo à toa na internet. Minha primeira paixão não platônica apareceu na minha vida por acaso. Nos adicionamos em alguma rede social e começamos a conversar todos os dias. Ele morava em uma cidade perto de Leopoldina-MG, cidade onde nasci e morei até os 17 anos, e, por ironia da vida, tinha acabado de se formar na minha nova escola.

Depois de tanto imaginar, finalmente marcamos de nos encontrar em uma festa. Foi a minha noite de Cinderela. Sem fada madrinha ou sapato de cristal, apenas a incrível sensação de que finalmente alguém sentia o mesmo que eu. Ficamos juntos até o fim da festa. Nos despedimos com a minha certeza de que aquele adeus seria um até logo. Mas não foi. Desde então ele simplesmente desapareceu da minha vida. Nem nas redes sociais, nem na vida real.

Como na época eu não tinha muitos amigos, acabei me refugiando no lugar onde sempre me senti segura: na internet. Foi no dia 19 de novembro de 2008, na madrugada de uma quarta-feira qualquer, talvez véspera de uma prova em que eu tenha me dado supermal, que o *Depois dos*

Quinze nasceu. O primeiro texto começava com a seguinte frase: "Você é tão diferente e tão igual a todos os outros...".

Hoje, quase quatro anos depois, bastante coisa mudou por aqui. Superei aquele e outros amores, me mudei para São Paulo, virei colunista na revista *Capricho*, fiz duas tatuagens e um intercâmbio para a Europa. Através do blog, me tornei financeiramente independente e perdi quase que totalmente a timidez. Fiz das leitoras, que apareciam por acaso e se identificavam com a ordem das palavras dos meus textos, boas amigas.

Superei o complexo de ter estrabismo e passei a não ligar mais para os apelidos que me colocavam na escola. Transformei, através de desabafos no blog, os piores momentos da minha vida e aquele maldito sentimento de ser sempre a única garota diferente em bons motivos para acordar todo dia e escrever alguma coisa nova – mesmo que boba. Foi assim que nasceu este livro. Foi assim que nasceu esta nova Bruna Vieira, que vocês vão conhecer, amar e ao mesmo tempo, talvez, odiar a partir de agora. Vamos lá?

> Life isn't about finding yourself.
> Life's about creating yourself.
> **George Bernard Shaw**

Anacrônico

Estou de salto. Passei maquiagem e até coloquei aquele vestido que você elogiou uma vez. Desobedeci meus pais. Deixei de lado minha última promessa. Quebrei meu cofre. Olhei no espelho antes de pegar a chave e vi no reflexo o quanto, mesmo depois de tanto tempo, você ainda me fazia ficar parecendo uma boba.

Desci as escadas e lá estava você. Vestindo a blusa que te dei de aniversário em 2008. Exatamente com o mesmo sorriso que deixei. Caminhamos alguns minutos por aquela rua meio deserta que fica perto aqui de casa. Lembrei de todas as vezes que ficamos sentados ali na calçada conversando. Que saudade da sua voz. Que saudade do seu perfume no ar misturado com o meu.

Falamos de trabalho. Faculdade. Da viagem. Das suas garotas e dos meus novos amigos gays. Minha vontade era de calar sua boca, porque, cara, ouvir sobre seu presente e lembrar que fiquei no passado era uma droga. Mas você gosta de mostrar o quanto sua vida mudou. Tudo bem. Eu aguento. Mais alguns passos. Mais algumas risadas. Chegamos.

Sabia que sair naquela sexta não era uma boa ideia. A cada coisa que dava errado enquanto me aprontava, tipo não achar meu sapato e o secador, eu tinha mais certeza disso. Mas eu sou teimosa e nem ligo pra essas coisas. Iria até de pijama. Não pense que pirei. Eu só precisava saber até onde eu ainda iria por você.

Aquela multidão me fazia querer te abraçar. Eu odeio multidões e música alta. Mas eu amo você. Poderia jurar então que não estava tocando funk. Jurar que as pessoas ao nosso redor nem existiam. Eu só tinha olhos para os seus olhos. Como eles brilhavam... E eu sentia que um terremoto estava prestes a acontecer toda vez que você chegava mais perto. Diz no ouvido. Não tô ouvindo. Diz com a boca, mas diz na minha, porque é assim que vou entender tudo de mais importante que você tem a dizer.

Uma bebida. Sua barba. Luzes piscando. O xadrez da sua blusa. Roda-gigante. Seus olhos. Alargador. Mãos na cintura. Poeira levantada. Sua boca. Minha boca. Nossa respiração. Foi.

Mesmo tendo vivido tanta coisa longe um do outro, algo ainda me conectava a você. Eu nem precisava contar nada. Sabíamos só de olhar. Independentemente das outras mensagens da caixa de entrada. Independentemente de onde estaríamos no próximo final de semana.

Lembro que você me perguntou como seria depois, e eu chorei. Você levantou meu rosto com os dedos e perguntou por que eu estava triste. Eu te olhei e respondi que não era tristeza. Era alívio. Por saber que ainda existia alguma coisa no mundo que fazia meu corpo tremer.

Nos abraçamos e ficamos conversando o resto da noite. Até você me deixar na porta de casa. Até eu te perder de vista na esquina. Deitei na cama do mesmo jeito que cheguei. Bati porta, ignorei broncas e deixei a luz apagada. Fiquei imaginando como seria voltar no tempo. Como se isso fosse mudar alguma coisa. Colocar a culpa no destino parece muito fácil quando o que falta mesmo na gente é coragem. Mas tudo bem. Em algum momento eu me perderia naqueles pensamentos e dormiria. No outro dia tudo fica menos complicado. Não é assim? Pra gente não. Antigas lembranças nos levam para antigos lugares. Antigos lugares nos levam para antigas escolhas. Dúvidas são sempre uma merda.

Sabe aquela maldita sensação que fica quando um filme de comédia romântica acaba? Aquela que vem depois do "felizes para sempre". The End. É exatamente assim que me sinto toda vez que a gente se vê. Sei que é para sempre, mas sei também que, mesmo assim, acabou.

Um texto pra você

Outro dia você reclamou que eu já não escrevia textos sobre você e nós dois. E eu tentei fazer uma surpresa na semana seguinte. Seria o texto da minha vida, o melhor, o mais verdadeiro de todos. Sem ilusões e invenções. Apenas RE-A-LI-DA-DE. Depois de trinta minutos olhando para o Word em branco, percebi que alguma coisa estava errada. As frases que me vinham à cabeça, de alguma forma, pareciam não se conectar.

Resolvi então colocar a nossa música. Ao som de Leoni eu só conseguia me lembrar de todos os momentos que vivemos juntos. Os piores e os melhores. O tempo passou tão rápido, né? Parece que foi ontem que você se sentou do meu lado em uma aula chata pra perguntar o que estava acontecendo comigo. Eu pensei: "Que menino é esse que nem me conhece e quer saber sobre a minha vida? Dane-se, vou contar".

Você gostava das cores do meu cabelo, e eu, da maneira como você olhava pra ele. E assim, sem maldade ou pressa, nós fomos nos conhecendo. Você com essa mania boba de implicância, e eu com a minha de decifrar sentimentos. Acho que, de tanto me ouvir falar sobre os meus amores, você acabou se tornando um deles.

Foi de uma maneira tão silenciosa que, antes mesmo que eu pudesse admitir, você percebeu. Mas era – quase – tarde demais. E eu soube disso quando vi aquele olhar. Nós nos conhecíamos tanto, que você não precisava dizer nada. Eu sabia. Não era mais eu, nem meu. Entre lutar ou perder e esquecer, eu escolhi tentar. Deixei as pistas espalhadas e esperei você me seguir. Sozinha, te olhava de longe em silêncio pra não interferir. Quando fechei meus olhos, sua boca estava na minha. Aquele beijo em dezembro mudou tudo.

É estranho, mas não consigo mais me lembrar de como eu era antes de você. E me assusta saber que essa eu que já nem conheço mais está prestes a voltar. Percebe o quanto isso é assustador pra mim? Por isso minhas crises, minhas neuras e minhas lágrimas. Você me faz feliz como ninguém nunca fez, então eu já sinto sua falta antes mesmo de ir. O tempo não acabou nem vai acabar com meu sentimento.

O amor em que acredito não é aquele que existe só enquanto dura, o amor em que acredito – e sinto – existe mesmo depois do fim. Mesmo depois do adeus. Gosto de acreditar que, em alguns meses, mesmo não estando mais juntos, ainda seremos um do outro. Sabe por quê? Você me ajudou a encontrar a pessoa que eu sou hoje. E isso te faz mais presente em mim do que qualquer outro cara que eu possa vir a conhecer.

Antes de terminar este texto, gostaria que soubesse que eu só costumo escrever sobre coisas que quero deixar guardadas em forma de palavras, e, quer saber? Ainda não me sinto totalmente pronta pra fazer isso com nós dois.

Antes de depois do fim

Olhei mais uma vez pra folha em branco e, então, tive a certeza de que você era o culpado. Sabe por quê? Não sobra tempo pra inspiração quando o cara que a gente ama existe de verdade, fora da nossa própria e fértil imaginação. Suspirei antes de tentar, mais uma vez, escrever este pequeno texto-desabafo.

Prometi que aquela seria a última vez que tentaria te fazer entender. Mesmo burlando todas as minhas próprias leis, já escritas em pelo menos um milhão de textos com títulos diferentes e conclusões parecidas, eu tentei. Acho injusto desistir de um amor por preguiça ou por falta de tempo. Sempre achei que estar apaixonado por alguém era como um daqueles remédios que o médico receita pra tudo ficar bem, quando nada mais funciona. Sei lá. Na última vez em que nos vimos, as coisas estavam estranhas. Nada de coração na boca, olho no olho e todas aquelas coisas que, antes de você, eu jurava só existirem nas comédias românticas que minha irmã aluga todo final de semana. Não quero acreditar que nós dois somos mais um daqueles casais que chegam ao fim antes mesmo do começo. É uma pena. Em épocas como esta em que vivemos, na qual um final feliz quase sempre só dura um final de semana, eu me sentia especial por ter você. É um saco não achar graça nas baladas e em grande parte das coisas sobre as quais as garotas da minha idade fazem questão de falar o tempo todo. Ah, se você soubesse... Eu me senti tão menos sozinha quando te vi pela primeira vez. Jogado naquele sofá da festa do Bernardo, enquanto todos os outros garotos, só pra tentar impressionar e parecer mais velhos, dançavam de uma maneira bizarra uma música qualquer em versão remix. Claro, com um copo de alguma bebida na mão e um cigarro no bolso. Você vestia xadrez, usava óculos e ficava olhando o céu da janela. Só depois fiquei sabendo da sua paixão por astronomia. E só depois você descobriu minha tatuagem de Saturno.

Lembra quando todo mundo dizia que um dia a gente deveria ficar junto?

Às vezes, queria acreditar que esse dia ainda não acabou. Então, se quer saber de mim, liga. Escreve. Pega o primeiro ônibus e bate na minha porta sem avisar. Mas vê se não espera o destino te colocar de novo na minha frente. Talvez, quando isso acontecer, alguém já esteja do meu lado. E isso será um final feliz. O meu.

Resumindo

Então crescemos, e aquele nosso amor platônico da escola se transforma no cara mais babaca que já conhecemos. O colegial acaba, e finalmente a hierarquia dos grupinhos populares vai por água abaixo. *Malhação* vira mais um programa chato da Globo. Nosso animal de estimação começa a não ter mais tanta disposição. Nossas melhores amigas já não são tão melhores assim. Mudamos de gosto musical. Percebemos que as primas que eram bebês há até pouco tempo já sabem dançar o funk do momento. Então amamos um cara. Logo depois aprendemos a lidar com a distância. Conhecemos outro cara. Aí aprendemos a dizer adeus. Então as preocupações do futuro se transformam e deixam de ter a ver com garotos. Temos que decidir o que fazer da vida. Alguém que amamos muito é arrancado dela. A solidão deixa de ser só uma palavra.

Começamos a preferir os livros sem figuras. Então vamos pra faculdade. Tentamos nos misturar e acabamos esquecendo o que aconteceu na noite passada. Depois de alguns meses, paramos de achar graça nas coisas que antes eram incríveis e divertidíssimas.

Terminamos a faculdade e vamos em busca de um bom emprego. Enfrentamos horas sem dormir e longe do computador. Alguém diz que não somos boas o suficiente.

Ligam pra informar que nosso animal de estimação partiu. Então mudamos de emprego, de cidade, de cabelo, de guarda-roupa, de carro, de melhor amigo e, mais uma vez, mudamos a maneira de ver a vida.

Fechamos os olhos e achamos que as coisas estão mais loucas do que nunca. Aí lembramos que já passamos por tudo isso que acabei de contar. Então, finalmente, adormecemos e acordamos sem nos lembrar da complexidade da coisa mais simples do mundo: viver.

Não é deixar pra trás, é viver

A gente tem mania de dividir o tempo em passado, presente e futuro. Mas e se, por algum motivo, não fosse mais assim? Se a contagem simplesmente parasse de acontecer? Se o que você lembra e o que você consegue imaginar não estivessem mais tão distantes? Parece loucura? Talvez até seja. Mas é pensando assim que tenho levado os dois últimos meses na minha vida.

Comecei riscando a palavra "perder" do meu dicionário. Fica mais fácil fazer isso quando finalmente entendemos o real motivo da nossa existência. Sabe, acredito muito que estamos aqui não pela eternidade, e sim pela aventura de sentir coisas diferentes e inexplicáveis todos os dias. Perder faz parte disso. Talvez seja até o momento mais importante. Quando, pra conseguir ir em frente, precisamos respirar e parar de olhar pra trás e pra frente, e olhar pra dentro.

Comecei a agradecer todos os dias. Não sou tão religiosa, mas acredito que existe alguma coisa maior do que o pouco que conseguimos entender. Então, seja lá o que ou quem for, obrigada por cada lágrima, sorriso e decepção que me trouxeram até aqui. Tenho certeza de que, sem aquelas noites sem dormir e os textos escritos em vão, eu não teria entendido isso tão cedo.

Dei um tempo de tudo aquilo que me fazia triste. Foram, sei lá, duas semanas de introspecção. Entendo como meu corpo e minha alma reagiriam a tantas mudanças. Disseram que eu já não era mais a mesma. E eu só conseguia pensar: de quanto tempo será que eu vou precisar pra entender e aceitar isso? Um mês.

Abri a porta do meu coração. Foda-se se isso algum tempo depois me faria parecer (e fez) mais uma garota apaixonada dizendo coisas previsíveis pra alguém. O amor era a chave.

E então as coisas que vivi, os caras que beijei e as palavras que nem cheguei a ouvir pararam de ficar pra trás. Agora, as lembranças estão comigo cada vez que abro os olhos de manhã. Quando não deixo pra depois e faço questão de dizer ou ouvir. Quando uma boa notícia me faz querer gritar da janela. Quando ligo a televisão pra ouvir a voz de alguém em casa. Quando acordo no meio da tarde pensando que os últimos meses foram um sonho. Quando durmo falando com alguém no telefone. Quando coloco fotos no mural. Quando beijo alguém e sinto que meu peito vai explodir. Quando, enfim, sou feliz.

O cara dos meus sonhos

Li uma crônica dia desses que descrevia o cara dos sonhos de alguém. Nela, a autora certamente desabafava sobre os maiores erros e acertos dos homens que passaram por toda sua vida. Existindo ele ou não, no final do texto, consegui entender exatamente o que naquele momento ela (ou a personagem) procurava. Passei alguns minutos também imaginando como seria o cara dos meus sonhos. Senti um vazio chato por já não fazer ideia de como descrevê-lo com palavras. Então, o que era apenas um pensamento se tornou um desafio, e cá estou escrevendo sobre ele – seja lá onde estiver.

Acho que é isso. Não quero mais um amor. Quero alguém que me entenda até nas horas em que eu mesma já não consiga fazer isso. Não quero frases prontas, aliança e rosas vermelhas. Quero um abraço em silêncio, com falta de ar. Não quero ter que mostrar o caminho sozinha, quero aprender a não me importar tanto com a direção.

O cara dos meus sonhos sabe mais do que eu sobre a vida. É justamente isso que me faz querer estar sempre ao seu lado. Ele gosta dos pequenos e quase imperceptíveis detalhes. Enxerga os meus e, enquanto brigo por coisas bobas do cotidiano, os repara em silêncio. E, nesses momentos, ignora absolutamente tudo o que digo. Depois me beija, causando uma amnésia temporária – até eu entender que não vale a pena ter sempre razão.

Não me importo tanto com a cor dos seus olhos. Mas me derreto pela maneira como eles me encaram quando acham que estou distraída. Também não me importa a cor dos cabelos. Torço é pra que ele não seja tão cuidadoso com eles – vou adorar bagunçá-los quando estiver com tédio. Ele não se preocupa tanto com o corpo. Não compra besteiras todo dia. Ama fotografia, livros e alguma outra coisa idiota que eu provavelmente odiarei (e respeitarei) no futuro – talvez seja futebol, videogames ou, sei lá, rock pesado. Ele faz carinho no meu braço enquanto durmo. Ama viajar e ir ao cinema. Tem orgulho dos meus sonhos e faz questão de nunca se tornar um obstáculo. Ele não tem histórias mal-resolvidas com ninguém do passado. Já esteve dos dois lados – foi canalha e coitado. Viveu o que tinha pra viver e, no momento em que finalmente estiver ao meu lado, estará. Plenamente.

É nessa mistura de tempos verbais que desabafo sua improvável existência. Ele não é príncipe, não é sapo e nem é meu. É do mundo. Por isso vou dormir e acordar, até chegar a hora certa de vê-lo (ou revê-lo). Quero estar pronta por dentro e por fora. Pra no meio dessas grandes multidões de todo dia, a gente se esbarrar, olhar pra trás ao mesmo tempo e pensar: é você.

Se ele não mudar

"Quando um garoto ama de verdade uma garota, ele muda. Deixa de lado todas as outras coisas pra fazer feliz aquela que faz seu coração bater mais rápido."

Essa foi a primeira frase que li quando acordei hoje cedo. Alguém curtiu ou compartilhou no Facebook. Aliás, tentem, por favor, parar um pouco de fazer isso por lá. Às vezes acho que estou no Tumblr ou em algum blog de humor. Não é legal nem engraçado quando todos os seus amigos colocam a mesma coisa por semanas. Recado dado. Agora, voltando ao tema do texto.

Li a tal frase e fiquei pensando nisso por alguns minutos. Será mesmo que o cara realmente precisa deixar de lado todas as outras coisas pra fazer a garota que ama feliz? A frase me parece tão egoísta! Sério que pessoas esperam isso de um relacionamento real? Está errado, gente! Erradíssimo.

Se tem uma coisa que meus dois últimos namoros me ensinaram, é que o amor não deve nunca se transformar em obrigação. O sentimento, base de qualquer relacionamento, é a parceria. Ninguém pode carregar o outro no colo e deixar todo o resto de lado. Isso sufoca. Sem um equilíbrio, todo e qualquer assunto se transforma em briga e pressão. Vai por mim, cobrança exagerada é, na verdade, falta de autoestima camuflada. Experiência própria.

Aprendemos desde cedo como nos virar sozinhos. Enfrentamos muros e monstros pra poder bater no peito e dizer que somos independentes. Nenhum relacionamento muda isso. Quer dizer, não nascemos de novo quando conhecemos alguém. Podemos até descobrir uma nova maneira de ver a vida, mais feliz e alegre, ou, sei lá, amadurecer e nos tornar adultos de verdade, mas isso não é motivo nem justificativa pra fazer do cara a última molécula de oxigênio do planeta. E mesmo se fosse. Ela não seria só sua.

Se a garota já começa querendo que o cara mude completamente, quer dizer que ele não é o cara certo. Em que século estamos? Foi-se o tempo em que os relacionamentos que dão certo eram apenas aqueles cheios de sacrifícios e promessas. Não deixar o cara viajar com a família, passar a tarde toda jogando ou sair às vezes sozinho com os amigos é como levantar uma plaquinha com as palavras "Termina comigo? Sou um saco!".

Anota aí na última folha da agenda: sempre existirão outras coisas, outras pessoas, outros lugares neste mundo. O segredo é deixar ele descobrir tudo isso sozinho e ainda assim preferir você.

Nó

A gente pode dar um nó por mil motivos nesta vida. Não é uma decisão fácil, e nem todo mundo consegue fazer exatamente quando quer. Às vezes, acontece. Simples assim. Sem motivos explicáveis ou por todos do mundo. Queremos parar de tropeçar, proteger, afastar ou segurar alguém. Um sentimento. Um breve momento que seja.

Um laço mal dado também às vezes vira um nó. Acontece sempre quando a gente quer que dure mais tempo do que realmente deveria durar ou quando não temos tempo e alma pra fazer. Um passo, dois passados, um tropeço. Desamarrou, embolou e, veja só, deu nó.

Algumas pessoas não conseguem desfazer seus próprios nós. Vivem, incansavelmente, buscando uma maneira de fazer com que façam isso por elas. Beijando, bebendo, enlouquecendo e esticando a corda até quase o limite. Assim não funciona, o nó aperta e fica mais forte. Dia após dia. Sufoca.

Alguns nós simplesmente não podem ser desfeitos. São eles que seguram nossa alma dentro do nosso corpo. São eles que nos fazem aguentar firme as quedas que a vida traz, todo dia. Seja continuando lá ou, na hora certa, desaparecendo. Pra que, finalmente, percebamos que nossa corda é mais longa do que imaginávamos. Ou que lá embaixo, no fundo do poço, existe alguém olhando pra cima e com os braços abertos.

Chega, de uma vez por todas, dessa coisa de alma gêmea. Sempre existirá alguém, e não necessariamente será essa pessoa sempre. A dura realidade é que nós, seres humanos, não fomos feitos pra eternidade. Assim como o que sentimos. Seguimos em frente e levamos o melhor e o pior de tudo aquilo que vivemos. Pra que da próxima vez, nos próximos nós que surgirem, consigamos nos libertar sem sofrer pelas mesmas dores.

Tudo isso porque, independentemente de quem você seja ou com quem esteja, no final das contas, será sempre só você e esses grandes e (quase) impossíveis nós.

Meu primeiro mês em São Paulo

Hoje, quando olhei no calendário, me dei conta de que já faz um mês que me mudei pra São Paulo. Agora posso dizer que aquela típica sensação de que tudo isso é apenas uma viagem longa e que logo vou voltar pra "casa" está passando, e no lugar está ficando algo que ainda não sei descrever – completamente. Como se o sentimento estivesse dentro de mim, embrulhadinho em um papel de presente e ainda com um cartão branco escrito "Seu maior sonho".

Falando assim parece idiotice, mas abrir esse pacote não é tão simples quanto parece. Significa que, de alguma forma (e para o meu bem), terei que me desfazer por completo de outros. No começo tentei não pensar nisso. E, principalmente, não escrever sobre isso. Uma maneira que encontrei de me defender dos meus próprios julgamentos – já que eles sempre surgem quando tento transformar o que sinto em textos. Mas quando se vive de palavras escritas, trancar a inspiração não é algo muito saudável. Talvez seja esse o preço que se paga.

Pois bem, agora estou pronta pra falar – ou pelo menos tentar – sobre isso. Morar longe de onde nascemos e crescemos (e também de quem amamos) talvez seja um dos maiores desafios da vida. Daqueles que fazem a gente mudar completamente os valores. Ainda é a melhor e mais rápida maneira de amadurecer: *amar, esquecer e crescer.*

De uma hora pra outra, as coisas que você mais odiava se transformarão nas coisas de que você mais sente falta. E as coisas que você sempre teve vontade de fazer, em uma ou duas semanas (em alguns casos, meses, vai...), se transformarão em rotina e perderão 80% da graça. Mas ainda assim vale a pena. Mudar é sempre um investimento; seja pra conquistar, encontrar ou compartilhar um sonho.

É quase sempre na solidão que conseguimos sentir nossa verdadeira alma e essência. Isso é meio louco. Porque, em alguns momentos, achamos que estamos pirando. Não ouvir aquela voz que acalma quando tudo está dando errado. Olhar pro lado e perceber que aquela multidão não passa de um bando de pessoas que não faz ideia de quem você seja.

No começo foi assim, me senti absolutamente sozinha e carente – mesmo com amigos e conhecidos por perto. Chorei algumas vezes no chuveiro e desejei ter algum tipo de poder que tornasse possível trazer todas as pessoas que eu amo pra perto (ganhar na loteria também vale). Mas não dá pra cobrar isso da vida. Ela já tem sido muito gentil comigo ultimamente. Sinto até um aperto no peito quando fico triste por saudade. Metade por estar chorando. Outra metade por estar fazendo isso em uma situação pela qual, comparado a grande parte das garotas da minha idade, sou privilegiada – afinal, faço o que amo e consigo pagar todas as minhas contas no fim do mês.

Bom, as semanas foram passando, e a correria típica de cidade grande, ocupando meus dias. Decorei meu quarto novo. Entrei em alguns cursos – dessa vez os que eu realmente queria fazer. Saí com amigas pra dançar. Conheci pessoas que até então não passavam de arrobas. Não aprendi

a cozinhar direito, mas descobri o quanto a parte de conge-
lados do supermercado é deliciosa. Mudei a minha noção
de distância – perto e longe.

Por ora, não quero pensar nas escolhas que não fiz.
Deixo para o próximo mês a tarefa de parar de criar rituais
de sofrimento (em uma palavra, stalkear). Parar de ir à Zara
toda semana, de confiar tanto nas pessoas interesseiras e,
por fim, passar a ir todos os dias na academia sem inventar
desculpas esfarrapadas.

Quando o "pra sempre" se torna um problema

Quanto tempo deve durar o pra sempre? Até que você ainda consiga se lembrar? Enquanto ainda realmente importa e te faz feliz de verdade? Talvez não exista uma resposta certa. Promessas são quebradas o tempo todo, e, mais cedo ou mais tarde, todos nós precisaremos fazer o mesmo. Ninguém entra em um relacionamento planejando seu final. Às vezes acontece, e, seja por qual motivo for, um dos lados tem que aprender, do pior jeito, que é mesmo impossível controlar os sentimentos das pessoas com quem nos envolvemos nessa vida. Já falei. É a biologia. Nem todas as borboletas têm o mesmo tempo de vida.

Às vezes é inevitável. Nos apaixonamos perdidamente por nossas próprias lembranças. Cá entre nós, de longe, abstratas, elas parecem tão mais perfeitas e irresistíveis! São fotografias, bilhetes, presentes... Acho que, de tanto revirar o passado, acabamos bagunçando também presente e o futuro. Deixando de lado, em algum lugar que eu gostaria muito de saber onde é, tudo aquilo por que passamos e que jurávamos já ter superado. Tanto sacrifício para que, de alguma forma, essa tal nostalgia faça algum sentido no final das contas, para que nos sintamos um pouco menos idiotas quando acompanhamos de longe, talvez via alguma rede social, cada passo que eles dão. Agora, me desculpem, mas vou cutucar as feridas. E as brigas? E as cobranças? E aquela vez em que ele foi um estúpido e você fingiu que não era nada só para que as pessoas não descobrissem? Péssima notícia, todo mundo sabia. E aquela vez em que você sentiu que precisava de um espaço? O convite que suas amigas fizeram e você teve que recusar?

Eu sei. Como já disse Leoni em "50 receitas", o que dói mesmo não é o que ele fez de errado. É o que ele fez de certo. As flores, as risadas, a trilha sonora, os filmes a que vocês assistiram juntos e tudo aquilo que nenhum outro cara do mundo vai conseguir fazer igual. Nisso você está certa. Não vai acontecer de novo. Mas te garanto, nem se for com ele. As coisas mudam o tempo todo. Nós mudamos. As circunstâncias também. Não existe passado que interfira mais no futuro que o presente. E acredite, essa sua nova versão é pelo menos dez vezes mais esperta que a antiga. Basta você olhar no espelho. Mas olha escutando aquela música que te faz dançar. Olha com o seu batom predileto, do qual ele não gostava tanto assim. Olha com o seu vestido estampado mais bonito. Quando estiver pronta, deixe que te olhem, e perceba o que o destino separou para essa noite.

Ao contrário do que todo mundo diz, o fim não precisa ser triste. Não é como nos contos de fadas, em que a história deve acabar no momento em que a princesa encontra e se entende com príncipe. A boa notícia dos tempos modernos é que, em uma vida, podemos viver várias histórias. O importante não é que elas sejam eternas, mas sim que sejam intensas e inesquecíveis. É essencial que cresçamos de alguma forma com cada uma delas. Por isso, pratique sempre que possível a introspecção. Veja o que deu certo e o que talvez tenha feito as coisas desandarem. Não aponte os erros ou acertos. Não encontre um culpado. Fazer as malas também é um jeito de organizar as coisas.

Mais uma bobagem sobre o amor

Sabe todas as coisas que você já leu sobre o amor até aqui? Esquece. Quando acontecer com você, de verdade, absolutamente nada daquilo fará a menor diferença. Rimas e versos que agora perfuram seu coração não servirão como estudo ou escudo. Seja qual for seu tempo de guerra, o amor vai te desarmar e te deixar de quatro. Aos poucos ou em alguns segundos. Intensamente ou sem você nem perceber. Bad news: não existe antídoto.

Então, o que fazer? Lutar. Cansei de ler (e escrever) receitas sobre como fazer dar certo. Sobre como seguir em frente e superar. Quer saber? Esses textos são só palavras que dizem o que todo mundo já sabe: o importante é ser feliz. O tempo vai te mostrar que o pra sempre não existe. Que o amanhã de ontem é hoje. Agora.

Ainda não é tarde, mas pode ser daqui a um milésimo de segundo. Por isso, se você tem alguém especial que, quando te abraça, faz alguma coisa por dentro tremer, aproveite.

Saber a resposta não muda a pergunta. Às vezes, vale a pena perder a razão por um sorriso ou dar a razão pra evitar uma lágrima. Sem essa de certo ou errado. Você tem a chance de se transformar em uma idiota dizendo sim ou dizendo não. É relativo. Aliás, no amor, tudo é. Até o adeus.

Pensamentos de taxímetro

Peguei táxi porque estava atrasada. Expliquei o endereço escondendo o sotaque, para ver se dessa vez o taxista, agora sem rosto, me levaria para o endereço sem muitas voltas nessas ruas cinzas e idênticas de São Paulo. Queria chegar logo e na hora, mas isso seria impossível, porque quando saí de casa faltavam exatamente dois minutos para o horário marcado. Demoro esse tempo para descer as escadas. Mas, vai, pega o caminho sem muito trânsito nesse horário, eu não faço ideia, só me leva daqui. Pela Alameda fulano sei lá o quê. Essa mesmo.

Nesses momentos me sinto adulta. Mas, ainda assim, sozinha. Nessas ruas cheias de desconhecidos apressados, fico olhando de longe, através da janela. Imaginando aonde eles vão e de onde eles vêm. Rapazes, garotas, crianças, algumas árvores solitárias e cachorros de raças que eu nem sabia que existiam. Ai, que saudade da minha cadelinha que ficou em Minas. Se ela estivesse aqui seria mais fácil. Sinto falta de abraçá-la no meio da noite. Da festa que a casa virava quando chegava de qualquer lugar. Odeio esse silêncio que fica. Odeio ter que tomar cuidado com a chave.

Vim pra cá porque não queria ser mais uma pessoazinha perdida no mundo. Mas a única coisa que esta cidade tem feito é me deixar assim. Conheço pessoas diferentes todo santo dia. Mas, ainda assim, cada vez mais as acho rasas e iguais. Não lembro nomes, endereços ou o número do celular. Eu nem sei mais direito quem sou eu. Me desconheço, no espelho, no restaurante, na fila do metrô. Tenho medo de me esforçar demais tentando entender as coisas. Já ouvi histórias de pessoas que não aguentaram a pressão e desistiram dos seus sonhos. Eu no futuro me mataria no presente se fizesse isso agora. Eu no passado não fazia ideia disso tudo.

Não gosto dessa música que está tocando na rádio. Mas o dia está lindo, e eu adoro o sol que bate na minha cama pela manhã. Ele faz o meu quarto parecer cenário de filme. Adoro minha bagunça. Todo mundo pergunta como eu consigo sobreviver assim. E eu penso: como vocês conseguem viver com tanto espaço?

Algumas ruas daqui já contam histórias. Aquele beijo. Aquela vez que saí da balada e comi qualquer besteira com o pessoal em um restaurante com nome engraçado. Aquela reunião no prédio vermelho que nunca deu em nada. Naquele momento, respirei fundo e lembrei das outras coisas boas que estavam acontecendo ao mesmo tempo na minha vida. Das lembranças que andavam preenchendo outras lembranças. Enchi meu coração de esperança e minha mente de novas ideias.

A vida, às vezes, é deixar um pouco pra lá. Sem apagar ou se apegar. Matar a saudade, mas do futuro. O destino precisa de um pouco de espaço para um simples abraço. Abrir a janela dos nossos sentimentos e deixar o vento mudar a ordem das prioridades. Até parar de ser um esforço e se tornar uma certeza. Pode custar um real, uma noite ou um texto, mas no final vale a pena.

É mesmo impossível escolher o que me fará feliz. Mas é possível afastar o que me faz triste. Simples, o resto às vezes não é só o que sobra. O resto pode ser o que temos e, no final das contas, nos completa.

Meus pensamentos foram interrompidos pelo taxista confirmando o endereço.

– Isso, naquele prédio espelhado com letreiros. Quanto deu?

– 34,70.

– Não precisa do troco. Até!

– Boa dia, menina!

Não vai passar, só mudar

"Eu esqueci você." Essa é com certeza a maior mentira que um dia diremos pra alguém. Sabe por quê? Sentimentos não morrem nem são esquecidos, eles apenas se transformam em outros sentimentos. Tipo mutação. O tempo tem sim o poder de mudar o nosso foco, mas ele não apaga uma história. Muito menos as lembranças. Ele apenas te mostra que você é forte o suficiente pra continuar, mesmo com tudo isso acontecendo aí dentro. Aí, então, outras coisas acontecem.

O amor torna a indiferença impossível. Quero dizer, as pessoas com quem você realmente um dia se importou nunca serão indiferentes. Cada uma delas despertará uma sensação única quando você, por exemplo, encontrá-la por acaso enquanto aguarda, em um final de semana qualquer, na fila do McDonald's. Vai queimar, sufocar, arder e, às vezes, tudo isso ao mesmo tempo. O que vai mudar é que, quando acontecer, você saberá sem sombra de dúvida o que é realmente bom pra você.

Sabe, já ouvi muitos relatos de pessoas que tentaram deletar suas próprias lembranças. Aos poucos, elas foram se deletando também. A música predileta. O filme que mais fez chorar. Aquela fotografia com ele em que você saiu superbem. Nada disso pode mais ser lembrado ou guardado? Está errado.

As lágrimas importam tanto quanto os sorrisos. Você é tudo aquilo que viveu até este exato momento. E o que em maior parte te fez evoluir foram as porradas e os tombos que a vida te deu. Que te fizeram passar dias na cama sem vontade de dormir ou comer. Que te fizeram pensar milhares de vezes em tudo aquilo que aconteceu. Que te fizeram admitir ou desistir. Que te fizeram se transformar.

"Na natureza, nada se cria, nada se perde, tudo se transforma." Talvez você devesse levar as aulas de química mais a sério.

Deixa disso, menina

Vi você outro dia em um canto sozinha. Parecia distante. Faltava algo. Na hora, pensei em chegar perto pra perguntar se alguma coisa havia acontecido. Mesmo com a nossa distância e aquelas palavras ditas no fim do inverno, me preocupava com você. Antes de ir, me perguntei onde ele poderia estar. Queria ter certeza de que não chegaria e nos encontraria juntas. Sabe-se lá por que, ele fez da nossa amizade um grande e inadmissível erro. Você, infelizmente, acreditou. Instantes depois, ele chegou e te puxou pra perto. Em silêncio, seguiram juntos. Te vi sumir, não no horizonte, ao lado dele.

Então, naquele momento decidi que escreveria esta carta. Sei que você já não me escuta como antes, mas, se por acaso ainda se importar, quero que leia com atenção e se lembre de como era sua vida há três anos. Mas, antes, desliga logo esse celular. Não precisa mais esperar aquela ligação pra sempre. Promete? Às vezes, ele simplesmente não se importa, ou, por saber que você estará sempre do outro lado da linha, demora tanto. Por acaso adianta passar por cima de tudo o que sente por um final feliz que só dura uma ou duas noites? Aposto que agora mesmo você está aí pensando em como será a próxima discussão, com o coração picado e misturado com pequenos cacos de vidro que ele, repito, ele deixou cair. É sempre mais do mesmo, como não se cansa? Vejo você se perdendo todos os dias, cada vez mais e mais. Não sei o que você enxerga no espelho, mas, te juro, essa realmente não é você ou quem você planejou ser. Sabe, dia desses lembrei de você antes de vocês. Da maneira que sorria sem medo de estragar tudo. Do batom vermelho e do corte de cabelo diferente.

O que o amor fez com você, menina? Que desperdício de alma, de tempo, de vida! Aprende logo, pra sofrer menos e se gostar mais: o amor não é uma gaiola. Muito pelo contrário, ele liberta. Nos permite ser tudo aquilo que queremos ser. Sair finalmente da nossa triste solidão interior e mostrar pra alguém o que poucos, na verdade, pouquíssimos, sabem. Não estranhe estas palavras escritas de mau jeito em um pedaço de papel qualquer. Só queria te fazer entender que não existem motivos pra você gastar um segundo amando quem não ama quem você é.

Agora mesmo, tantas histórias estão sendo escritas, e você continua aí, vivendo de lembranças que nem existiram de verdade. Contentando-se com restos e abraçando quem só te vira as costas. Deixa disso. Mas vê se deixa logo, menina.

Amar sem amor

Lá está ela, mais uma vez. Olhando além da janela, em outra direção, como se estivesse procurando por alguém. A paisagem passa rápido por seus olhos, e aqueles velhos pensamentos logo se perdem entre as árvores e as montanhas. Sabe que o mundo é pequeno demais pra suas lembranças, então corre de si mesma e deixa o vento mudar o penteado, os sonhos e todo o resto. Não liga, sabe que é assim. Como se durante todos os dias de sua vida tivesse feito e desfeito as malas por alguém.

Sei bem que essa moça gosta dessas coisas. No fundo, ela só consegue se enxergar nos olhos de alguém. Por isso, jamais fica sozinha. Odeia ouvir seu próprio silêncio, então decora palavras e, toda vez que sente medo, diz sem ter certeza: "Eu amo você".

Por ser assim, já sofreu centenas de vezes que eu sei. Tomou na cara, no coração e na alma. Mas pra ela isso não é nada. Sabe disfarçar com sorrisos, batons e um bom café quente e forte. Levanta-se toda vez e segue em frente seu caminho. Não por ser forte, mas, pelo contrário, por saber que é fraca o bastante pra não conseguir entender sua alma, admitir sua essência e voltas atrás. É disso que ela tem medo, de dar ré.

Então pisa firme, acelera e segue em frente toda vez que quer voltar. Deixa o tempo agir. Acha que adrenalina é paixão, e paixão é amor. Mistura tudo em um copo cheio de nada e bebe sem respirar.

Pobre moça, conhece todos os lugares do mundo, menos o mais importante, onde mora a felicidade: seu próprio coração. Às vezes, penso até que, quando era mais nova, lhe disseram que todos devem ser alguma coisa quando crescerem. Então, entre todas as coisas que poderia ser, essa jovem moça escolheu ser saudade. Ser a falta, o motivo e a rima de versos como estes. Que são escritos a todo instante por caras como eu. Caras que foram deixados pra trás, que ficaram no reflexo do retrovisor, querendo sempre dizer uma última coisa: deixa disso de uma vez, menina. Vê se dessa vez fica quieta em você. Quando é que finalmente você vai aprender que, neste nosso mundo, amar sem amor é besteira e faz doer? Não vale o texto publicado.

Carta pra depois

Por favor, leia com atenção e não se esqueça das vírgulas – você sempre faz isso que eu sei. Muito em breve iremos cruzar uma esquina diferente. Isso vai mudar tudo. Mas espero do fundo do meu coração – assim mesmo, com a inocência e a sinceridade de uma criança – que nos encontremos um dia por aí. Sem muitas pretensões ou obrigações. Sem um futuro traçado ou um passado que nos prenda a alguém além de nós mesmos.

Guarde o que temos hoje em algum lugar quase inalcançável. Mesmo que seja só como bagagem de vida ou história para contar para os filhos. Esqueça o que eu te disse sobre não errar. Faça isso várias vezes, o quanto precisar. Me enganei quando acreditei que poderia te mostrar o mundo com os meus próprios olhos. Use os seus – que, aliás, vão me fazer falta nos próximos anos.

Volte a ser aquele garoto ingênuo que conheci há alguns anos, mas só às vezes. Te garanto: assim como eu, algumas pessoas merecem conhecer esse lado seu. Tente também sorrir mais e ligar menos para o que vão pensar. Má notícia: sempre vão dizer alguma coisa. Entre tais verdades e mentiras, acredite em quem realmente ama você. Poucos, mas quase sempre o suficiente.

Nunca enxergue tudo o que vivemos como perda de tempo. Juntos, nós somamos e dividimos absolutamente tudo. Deixamos passar algumas coisas, talvez, mas essas se tornam insignificantes e vazias perto do que alimentamos e cultivamos durante esses quase três anos.

Algumas coisas não acabam quando terminam. A paixão deve ir, mas algo ainda fica por aqui. Não se esqueça, eu amo você.

Da janela
do ônibus

Não sei bem se tem a ver com o meu lado escritora, mas tenho um certo fascínio por desconhecidos. Quando viajo de ônibus, por exemplo, gosto de ficar imaginando a vida das pessoas que passam por mim. Arrumo briga, mas fico sempre na janela, observando de longe o comportamento de cada uma delas. Ruas de pedras amareladas e cidades com pequenas praças vazias. Senhoras na janela vendo a vida passar. Crianças na calçada sorrindo e gritando. Homens bebendo em um bar e atentos à TV: é gol?

É tudo tão igual e, ao mesmo tempo, tão particular. Cada expressão. Cada esquina. Sinto que por instantes poderia decifrar olhares e criar novos destinos. Será que tudo isso é efeito do remédio que tomei pra dormir?

Lembrei dia desses que, certa vez, vi uma menina sentada na escada de uma casa azul simples que ficava em uma pequena cidade, provavelmente ainda menor que a minha e de nome desconhecido. Seu olhar parecia distante. Quando a vi, senti na hora um aperto no peito. Como se algo nela doesse dentro de mim. Percebi em seu olhar, que ia em direção ao ônibus, uma vontade de não estar naquele lugar. Prisão sem grade. Estradas.

Talvez ela quisesse subir naquele ônibus e seguir caminho junto comigo em busca dos seus sonhos. Ou, sei lá, que uma pessoa especial sentada na poltrona ao lado pedisse pro motorista parar a qualquer custo e descesse só pra dizer três palavras bestas que mudariam tudo. Enquanto imaginava tudo isso, senti pena. Pobre garota.

Alguns quilômetros depois, vendo as enormes montanhas típicas da região onde moro, e me sentindo, como sempre, um pequeno grão de areia no mundo, já bem longe daquela pequena cidade, percebi o quanto estava errada ao sentir pena e imaginar tantas coisas da menina. O planeta é tão grande, as pessoas podem querer tanta coisa para suas próprias vidas. É egoísmo demais imaginar que todo mundo sinta e pense da mesma maneira que eu. Talvez eu faça isso na vida real, no universo além de desconhecidos em viagens de ônibus.

Acho que às vezes é difícil entender que cada pessoa tenha um propósito de vida diferente. Por mais que a gente imagine, suponha e torça, não podemos decifrar o que o outro realmente quer. Muito menos ditar. É isso que dói, mas é justamente essa a graça. Se soubéssemos tudo o que se passa no coração de quem a gente ama, deixaríamos de amá-lo no mesmo instante. A graça é irmos descobrindo pouco a pouco, da janela do ônibus, abraçados na cama ou estudando pra prova impossível de matemática. Aceitar as diferenças. Amá-las.

Então, por favor, senhorita expectativa, não espere que as pessoas sejam como nos filmes ou nas novelas. A vida real não tem roteiro. Não somos divididos por mocinhos, vilões e figurantes. Existem vários personagens dentro de nós. A gente é que, ao acordar e olhar o reflexo no espelho, escolhe qual vai ser.

Meu eu em você

O quarto estava em silêncio, mas ela podia ouvir, de dentro pra fora, de minuto em minuto, a porta bater com toda a força. Escuridão e luz. Os dias escapavam pela greta da janela, mas o eco dos gritos que ali foram desperdiçados jamais se calou de vez. Parou de chover. As lágrimas secaram toda a dor, e o vazio se instalou onde os sentimentos costumavam ficar.

Roupas no chão, copos no armário, gavetas abertas e um coração faltando pedaços. Toda aquela bagunça não tinha a menor importância. Ela se sentia suja mesmo depois de 100 banhos. Cada centímetro do seu corpo fedia a arrependimento.

Estava realmente sozinha. Desde que se mudou para o apartamento, onde morava com ele, jamais deu notícias para a família. Uma época difícil para todos. Final da adolescência, cabelos coloridos e um amor que duraria para sempre. Ninguém entendia, só ele.

Final feliz? Não, desventuras em série. Um cara legal da faculdade apareceu e fez da certeza uma possibilidade. Disse coisas engraçadas e explicou a matéria de álgebra. Segurou sua mão sem querer na escada. E em uma festa solitária da turma do trabalho, apareceu por acaso. Bebida demais, pessoas também. Coração amassado e guardado no bolso do jeans. Quando abriu os olhos e caiu em si, estava com a boca na dele. Surpresa: olha quem apareceu na porta.

Gritos, portas batendo, lágrimas, maquiagem borrada, chuva forte e, então, a solidão. Volte ao começo deste texto e leia isto todos os dias, por quase um ano. Foi o que ela fez por todo esse tempo. Relembrou e se lamentou.

Agora não resta mais nada. Nem esperanças. Só um papel e uma caneta falhando. Escreveu no canto de uma folha com um desenho qualquer: "Todo dia 21 só me deixa um mês mais longe de tudo o que vivi com você". Depois, com a folha na mão, subiu as escadas e, na cobertura, olhou pra baixo e se imaginou caindo. Podia sentir o vento no seu rosto. Depois de tanto tempo longe de tudo, isso parecia a solução.

Aquele era mesmo quase o fim, quando ouviu: "Jovem garota dos cabelos negros, vejo você todos os dias através do espelho. Estou aqui, em uma janela bem perto de você. Escute o que eu tenho pra dizer, não se sinta louca por isso. Ninguém consegue enxergar o que você sente. Isso é seu. Exclusivamente seu. E, mesmo que não acreditem, essa é a única verdade que faz diferença no final. Nunca importa apenas quem errou. Sofre mais quem ama. Agora escuta e acredita: quem ama também erra. Não se culpe pra sempre por aquilo. Antes de exigir o perdão, perdoe-se. Orgulhe-se pela coragem inoportuna. Poucas pessoas assumem. Faça o que tiver que fazer, sinta o que tiver que sentir. Feche as portas, se tranque em um quarto escuro e pense que a vida é um saco, mas nunca, nunca queira fechar os olhos antes da hora. Estou bem aqui, vendo o que você vê, sentindo o que você sente. Na sua alma. Nos seus olhos. Eu sou você".

A vida
Sem você

"Aumenta o volume, por favor, ainda consigo ouvir o meu coração." Foi o que eu pensei em dizer ao DJ quando cheguei à festa, sozinha. Minhas amigas estavam lá, em algum lugar, mas por um motivo chamado você, isso não fazia a menor diferença.

Pedi uma bebida quente. O garçom me deu mole, e eu senti nojo. Da bebida e da cantada. Aquela era a primeira gota de álcool do ano. Desde que comecei a sair com você, não precisei mais de bebidas pra parecer louca. Um gole, dois goles e lá estava eu, dançando a minha música predileta com um desconhecido e com os pensamentos a quilômetros de distância. Ou melhor. Em mim, em nós dois.

Eu pensava: "Será que ele viu minha frase no Facebook? Deixei bem claro que essa noite eu não seria eu. Se viu, vai aparecer". Apareceu. Minha maquiagem já tinha ido para o espaço quando te vi passar. Eu me odiei por isso. Queria estar linda, intacta e cheirosa. Nos meus planos, você ia me ver e se aproximar, com o seu sorriso de lado, e dar, sem dizer nada, um daqueles seus abraços apertados que me fazem esquecer de todo o resto. Você nem me viu. Disfarcei.

Na verdade, eu queria ser forte o suficiente pra poder te empurrar na parede com um soco daqueles, bem na boca do estômago. Para que, por pelo menos alguns minutos, você sentisse o que eu sinto toda noite antes de dormir.

Minhas amigas estavam preocupadas comigo, e eu, com você. Quem era aquela do seu lado? Por que você sorria tanto quando estava tão longe? Todo mundo parecia tão feliz, a festa toda piscava e girava, e o meu coração continuava latejando. Mais bebida; quem sabe passa? Eu queria te provocar. Queria que me olhasse.

As horas foram passando, e você, com duas ou três garotas por perto. Amigas ou amantes, sei lá. Não importa. Elas não são eu, e eu estou aqui. Deus do céu, o que aconteceu com a gente? Para onde foram todas as promessas que fizemos? Nossa última briga te machucou demais? Por que você não me fez parar a tempo? Era o que costumava fazer.

Fim de noite. Alguns vexames e nada de você.

Acordei hoje cedo rezando para que tudo isso tenha sido um grande pesadelo e ainda olhando para o telefone esperando você ligar. Minha cabeça dói, mas menos que o meu coração. Eu tô bem, mas continuo repetindo toda hora: vem, me salva da vida sem você.

Abra a janela

Abra logo essa janela e deixe o vento de fora entrar. Esqueça o que dói e sinta o que acalma. Abrace forte quem você tem, não só quem você acha que ama. Escreva uma carta de amor e mande para o seu endereço. Veja só, finalmente uma boa notícia: você sempre terá você.

Já é tarde, e as flores caíram, eu sei, mas todo mundo sabe que o outono também tem seu charme.

Não seja egoísta, vai, deixe o mundo te conhecer. Bagunce o guarda-roupa, seja indecisa, vista suas peças prediletas. Assim como os seus sentimentos, elas nem precisam combinar ou fazer algum sentido. Isso é você.

Não viva a vida de ninguém além de você. É desperdício de tempo, e este não tem como comprar na farmácia da esquina. Perdoe alguém antes de pedir perdão. Tire a poeira da palavra "amor" todos os dias pela manhã, mas não se esqueça de todo o resto. Guarde suas inseguranças em uma pequena caixa. Use-a para alcançar seus sonhos.

Olhe para o céu com a certeza de que, mesmo com sol, as estrelas sempre estarão lá. Acredite em mim: no mundo, alguém sempre vai estar esperando por você. Não com medidas exatas de uma outra metade, mas com um sorriso e um abraço forte para aqueles dias difíceis de estômago vazio e cabeça cheia. Anote aí: as pessoas nunca nos entendem por completo. E, ainda assim, talvez a graça desta vida seja tentar encontrar alguém que consiga.

Escrever

Certa vez me perguntaram quando e por que comecei a escrever. Não soube responder ao certo, inventei uma desculpa e saí da pergunta sem uma resposta. Aquilo ficou na minha cabeça por dias e, principalmente, noites. Quando foi que eu comecei? Por quê? Por quem? Amores e rolos à parte, acho que escrever sempre fez parte de mim.

Através da escrita, eu me livro do que já não me serve, me lembro do que ficou, do que não foi e penso no que ainda pode ser. Aquelas e estas palavras tão minhas, tão nossas, agora voam livres sem destino certo por aí. Essa é a sensação que fica. Não molha como a lágrima, nem incomoda como um grito, mas preenche sempre o vazio que motiva. Algumas coisas precisam ser escritas para serem entendidas.

Escrever com o coração vai muito além de colocar ordem nas palavras. É preciso coragem. Coragem para fechar os olhos e sentir o que acontece ou aconteceu por dentro. Enfrentar, organizar e entender. Pouca gente sabe, mas essa atitude é rara. É difícil. E, como a gente vive mudando, é eterna.

Gosto de brincar que, quando tenho uma folha em branco, me transformo em uma super-heroína. Meu superpoder tem a ver com as palavras. Eu não salvo vidas, mas eu guio almas. Faço com que elas percebam que, não importa o quão distantes estejam, existirá sempre um caminho de volta.

Escrever também tira a gente da solidão. Não da física, mas da interior. Perceber que, independentemente do que nos aflige, jamais seremos as únicas a passar por isso faz tudo parecer mais fácil. É por isso que eu me encho de alegria quando alguém manda um e-mail dizendo que em algum texto consegui descrever algo indescritível.

Porque, no fundo, no fundo, o que todo mundo quer é fazer o outro entender o que se passa por dentro. Alguns compram uma rosa, outros tomam atitude, e eu? Escrevo.

Pra não olhar pra trás

Sempre que uma amiga me liga chorando e pedindo conselhos por algum término de namoro ou coisa parecida, falo sobre o orgulho. Não canso de dizer o quanto ele é importante, principalmente nessa hora, quando o coração está machucado, e a cabeça, confusa.

Depois de ouvir um "eu não te amo mais", fica difícil não fazer a mesma coisa e odiar, sem perceber, a si mesmo. No espelho, o cabelo já não brilha tanto, o vestido predileto parece básico demais e a unha nunca cresceu tão devagar. Esses são os sintomas pós-pé na bunda. Colocamos na cabeça que não somos boas o suficiente, mas, acredite, nós sempre somos.

Essa coisa de mandar mensagens com frases prontas ou trocar o texto do perfil pra algo mais "eu não dou a mínima para o que aconteceu" não faz diferença nenhuma pra ele, só pra você. A gente que, na hora, não entende isso e fica bisbilhotando tudo pra ver se ele leu e se importou.

O que você quer primeiro, a boa ou a má notícia? Ok, a boa. Sim, ele leu, e não, isso não fez a menor diferença. Pelo menos não agora. Ele vai continuar saindo e bebendo com os amigos, ficando com novos e passageiros romances, e, se der tempo, te ligando em uma madrugada de tédio pra dizer que você foi uma boa garota. Isso vai parecer um EU AINDA AMO VOCÊ, mas, acredite em mim, não é.

Eles sempre vão tentar nos fazer acreditar que somos diferentes e feitas especialmente para mudá-los. Talvez até mandem uma música que diga isso (pra poupar tempo, conheço esse tipo). Ela será o seu novo toque de celular e a trilha sonora do seu aniversário de namoro solitário. Talvez em um domingo desses você até escreva um texto sobre isso.

Hoje, mais do que nunca, sei que pra fazer alguém acreditar no amor não basta amá-lo. É preciso mostrar a importância do amor. A falta que ele pode fazer.

Nesse caso, não adianta esperar que ele diga "para sempre", sem que você tenha tido coragem de dizer "nunca mais". Se humilhar e pedir pra voltar é uma atitude que qualquer garota apaixonada faria. Como ele mesmo já disse algum dia: você não é uma garota qualquer, é?

Pra você não dizer que eu não avisei

Pode parecer loucura, mas eu estou aqui escrevendo isso apenas pra te avisar que hoje, agora, estou me apaixonando pelo seu jeito ridiculamente encantador.

Certa vez, me disseram que existem duas maneiras de se envolver com um cara: se apaixonando por ele e o odiando. Pois bem, meus sinceros parabéns, você conseguiu as duas.

Eu me pergunto toda noite antes de dormir quando foi que comecei a te enxergar diferente. Não aconteceu de propósito. Há alguns meses você era só mais um rosto bonito na minha página de amigos. O que te fez ser tão diferente dos outros?

Talvez você esteja tão perdido quanto eu. Amarrado em histórias antigas que nunca existiram. Confundindo lembranças com imaginação, amor com admiração. Te enxergo sempre em um universo paralelo, ao meu lado, e enquanto estamos por aqui, mesmo presentes, estamos ausentes. Ao ponto de nos perdermos, antes mesmo de nos encontrarmos.

É estranho, mas alguma coisa em você me faz ter vontade de fazer as malas. De voar pra longe. Penso que eu poderia casualmente ser o seu motivo. A garota que você espera pra preencher todos os vazios. A angústia de domingo. Veja só, neste exato momento estou escutando sua música predileta e criando uma maneira de me encaixar. De ser aquela que você sempre procurou.

Quando você vai crescer e perceber que para sempre é o amor, e não a espera? Leia minha mente. Leia agora. Siga minhas pistas. Esta é a primeira. Faça isso se tornar real. Transformei meus sentimentos em palavras e agora só preciso que leia e perceba que é sobre você.

Leia isto, idiota!

A gente tinha tudo pra dar certo e, mesmo todo mundo jurando que não, a gente dava. Você e seus jogos bobos, eu e minha mania de perseguição. Nós éramos aquele tipo de casal que briga em toda festa, mas depois de alguns cacos de vidro no chão e alguma gritaria, se desculpa e termina a noite sozinho, abraçado e dizendo besteiras no ouvido. Disso, ninguém sabia.

No último verão, você resolveu quebrar todas as nossas promessas. Se desfez do meu amor e, antes mesmo que o meu coração pudesse suportar, foi atrás de novas aventuras. Você me conhece. Eu nunca desisto fácil. Liguei. Gritei. Me humilhei. Perdi meus dois amores em menos de uma semana. O próprio e você. Será que você não percebe que em um dos momentos mais difíceis da minha vida você disse que já não queria fazer parte dela?

Guardei todo o amor que sentia por você e o transformei em força. Mudei a cor do cabelo. Deixei minhas unhas crescerem. Liguei para minhas melhores amigas. Bebi um pouco demais no final de semana e, quer saber? Foi divertido não ter que me preocupar com você.

Achei o número daquele cara que sempre sorria pra mim na fila do banco – não que você não saiba, mas nós temos saído. E eu estou bem. Não como antes, e talvez nem como amanhã, mas eu estou bem. Tenho recaídas, ainda dói quando vejo ou escuto algo sobre você. Mas sei que isso é absolutamente normal: a dor de amor que mais dura é aquela que nunca existiu.

Ao quebrar nossas promessas, você me fez quebrar todas as que eu tinha feito pra mim mesma antes de te conhecer. E agora você quer colocar limites na minha vida. Saia, agora, por favor.

Isso não é mais uma das minhas perseguições. Eu estou apenas aprendendo a voar sem as asas que você me tirou. No verão, quando disse que queria finalmente "viver a vida", apaguei de mim tudo o que vivemos. Então, agora, quero que você saiba o quanto dói ser só mais uma possibilidade.

Se quer um conselho de ex e amiga, da próxima vez, não pegue o trem apenas porque ele se move. Tenha certeza de onde quer chegar antes de partir, meu amor.

A roda-gigante

Enquanto a escuridão da noite se aproximava, como de costume, toda a cidade se preparava para a festa. Nas janelas das casas do beco, nos bancos cinzas e velhos das praças ou nos balcões da lanchonete dos melhores salgados do mundo. O assunto era o mesmo, e a ansiedade das pessoas, também.

Valentina também estava ansiosa para a exposição. Mas não pelas bebidas ou pelo show, como a maioria dos seus amigos, e sim pelo cheiro de churros quentinhos e pelas infinitas bancadas de doces que enfeitavam e deixavam toda a rua com um ar diferente.

Todos já estavam prontos quando ela finalmente resolveu entrar no banho. Odiava ser apressada, então preferia ficar sempre por último. Não ligava de chegar sozinha nos lugares; para falar a verdade, até gostava.

Sua pele branca e pálida se tornava levemente rosada no inverno. Ao se despir no banheiro, ficou alguns minutos se encarando no espelho da pia. Talvez ainda não tivesse se acostumado com o seu novo reflexo. Talvez ainda não soubesse, mas Valentina já não era a mesma garotinha de sempre. Pelo menos não por fora.

Desde o último ano, seus cabelos encaracolados e ruivos cresceram, e os seus olhos, que antes só expressavam meiguice, agora, com um pouco de rímel, esbanjavam sensualidade.

No embaçado do vidro do box, sua frase predileta: "Life keeps going, with or without you".

Depois do banho, pôs seu vestido florido preferido, sua jaqueta de couro e procurou por toda parte sua sapatilha azul de camurça com laço. Para as entendidas de moda, aquele não era um look perfeito, mas para Valentina aquele era o look ideal.

Fechou a porta e, quando chegou na esquina da rua de casa, voltou para conferir se a tinha trancado. Enquanto caminhava até a rua da exposição, era impossível não se lembrar do que acontecera ali no ano anterior. Para fugir dos seus pensamentos, ligou o fone de ouvido no último volume e cantarolou até o local sua música predileta.

A rua estava como costumava estar. Maçãs do amor, cocadas e pipocas por toda parte. A iluminação amarelada, que ficava por conta das diversas luzes espalhadas pelas árvores, também estava presente. Enquanto olhava para os lados e caminhava pela rua em busca de um rosto conhecido (e que a fizesse ter vontade de segui-lo), já comia um churro com doce de leite, seu predileto.

Tudo ia bem até avistar de longe o grupo de amigos do Eduardo. O motivo pelo qual estar ali era um desafio. Desviou rapidamente e entrou para o parque sem que a notassem. A ideia de ele ter vindo para a festa a assustava. Era uma sensação nova e estranha, que apertava o peito, mas que a fazia imaginar coisas. Ter esperanças.

Enquanto se recuperava daquela maldita sensação, entrou em uma barraca de bijuterias e comprou algumas pulseiras. Valentina não usava brincos ou colares, mas amava preencher seu pulso com coisas aleatórias. Dizia que cada uma delas tinha um significado diferente. Comprou aquela para registrar a primeira exposição sem ele. Não sem o amor, apenas sem ele.

As luzes em movimento a atraíam tanto que acabou esquecendo de encontrar os outros. Caminhou então em direção ao seu brinquedo preferido, a roda-gigante.

As filas estavam grandes, mas não maiores que a vontade de enxergar tudo aquilo lá de cima. Desde que tudo aconteceu, ela nunca mais havia subido tão alto. De alguma forma, a altura a fazia se sentir bem. Como não estava acompanhada, nos minutos em que ficou esperando, buscou um rosto conhecido nas pessoas ao seu redor. Sem sucesso, aguardou a sua vez e torceu pela sorte de que fosse alguém, no mínimo, silencioso.

Enquanto olhava para o lado do carrossel e sorria ao ver as crianças se divertindo, sentiu um perfume familiar no ar. Em menos de cinco segundos todas as lembranças voltaram, e aquela sensação de antes também. Era ele. Ninguém mais na cidade usava tal perfume importado. Era o dele.

O destino às vezes gosta de brincar com a nossa coragem. Talvez ele queira saber se nós sabemos diferenciar passado, presente e futuro. Saber se nós realmente queremos que essas palavras signifiquem coisas diferentes.

E, naquele momento, ela desejou que não. Que nenhuma das suas lembranças fossem verdade, que o Eduardo se virasse e dissesse que o cara dos churros colocou doce de leite a mais porque ele disse que sua namorada era a mais linda da festa. Mas nem ele se virou, nem ela teve forças para dizer ou fazer algo. Ficou ali parada e sentindo cada parte do seu corpo doer, como se ele fosse uma espécie de Kryptonita (aquela do Super-Homem).

A fila à frente deles já estava quase acabando quando o maquinista perguntou para o jovem de cabelos claros e olhos negros se ele tinha companhia. A resposta foi não, então o barbudo de aparência cansada olhou para Valentina e fez a mesma pergunta. Sem dizer nada, ela apenas balançou a cabeça negativamente.

– Então vocês vão juntos.

Em menos de um segundo, essa frase se repetiu várias e várias vezes na cabeça da jovem garota ruiva. Suspirou fundo, mordeu os lábios e, finalmente, encarou o rapaz.

– Por mim, sem problemas.

A reação dele foi justamente contrária à dela. Sem conseguir disfarçar a surpresa de tamanha coincidência, ele, ainda sem acreditar no que estava acontecendo, caminhou ao lado da garota até os assentos do brinquedo.

Ela desejou alguém silencioso, e conseguiu. Nos primeiros minutos, antes de o brinquedo realmente funcionar, ele não disse absolutamente nada. Apenas a olhou fixamente, sem acreditar que aquela era "sua Valentina".

Um ano pode não ser muito tempo, mas é o suficiente para uma ferida de amor parar de sangrar. A cicatrização pode ser longa e dolorosa, mas basta um olhar para que as centenas de textos ele-não-te-merece ou você-não-foi-feita--pra-ele percam todo o seu sentido.

Valentina tinha muito o que dizer, mas, naquele momento, queria mesmo era escutar. Uma explicação que desse sentido a tudo. Ou, sei lá, uma certeza que a fizesse nunca mais querer olhar na cara dele.

A roda-gigante então estalou e começou a rodar. A altura fazia tudo aquilo parecer ainda mais surreal. As pessoas lá embaixo ficavam pequenas, e ele continuava ali, bem na sua frente, do mesmo tamanho de sempre.

– Eu senti sua falta durante todo esse ano.

Parece que ele não veio para explicar. Veio para confundir ainda mais.

– Pois, pra mim, você é indiferente.

Vai encenar aquela personagem durona que não acredita no amor? sério, Valentina?

– Sei que isso é mentira. Você não deve imaginar, mas eu ainda leio seus textos, eu sei o que você sente, sei como você se sente. E, acredite, a dor de causar tudo isso é talvez maior do que a sua.

– Parece que alguém ainda não perdeu aquela mania de sempre se fazer de o coitado da história.

– Não, você não entendeu. Só quero que saiba que também dói em mim.

– Isso não me importa. Quero mesmo é que você e todas as suas pseudoconsequências se danem. A vida é uma questão de escolhas, e, nesse mesmo dia, um ano atrás, você escolheu a opção que me tirava de vez da sua vida.

– Sabe, Valentina, eu conheci você quando ainda era um garotinho. Sempre foi a menina da minha vida. Te achava diferente de todas as garotas com quem costumava lidar lá em São Paulo, então minha paixão cresceu sem que eu pudesse perceber. Acredito que isso também tenha acontecido com você. Quando nos demos conta, já estávamos nos beijando e mandando mensagens carinhosas durante o período de aulas. Tudo isso era incrível, mas, com o tempo, nasceu em mim, paralelamente, uma vontade de saber como era a vida sem você.

– Não acredito que você está dizendo isso – disse a jovem enquanto sentia uma lágrima escorrer.

– Calma. Deixe eu terminar, ok? Eu jamais teria coragem de trair você. Então, resolvi, antes de fazer qualquer coisa, terminar. Fiz isso no pior momento de todos, no pior lugar de todos. Foi no parque em que demos o nosso primeiro beijo.

– E o último.

– Eu tinha bebido com os meninos, jamais teria feito isso aqui e na frente de todo mundo. Mas aconteceu. E eu fui sincero com você, disse que não queria mais pra fazer você sofrer menos. Odeio esse tipo de cara que não quer mas continua iludindo.

– Oh, você tem valores. Que bonito.

– Eu não estou aqui pra fazer com que você volte pra mim, eu estou aqui pra que você me entenda. Depois que voltei pra casa daquelas férias, percebi a burrada que havia feito. Talvez eu tenha tido que te perder pra me lembrar do quanto você é diferente. Que eu não tenho motivos pra querer descobrir como é a minha vida sem você, porque a minha vida é você.

– Então por que diabos você não veio me dizer isso antes?

– Não é tão simples como parece. Eu não sou tão corajoso quanto você, garota, acredito que saiba disso. Passei todo esse tempo visitando seu blog, lendo seus textos e não me perdoando por ter feito isso, entende? E se eu não me perdoava, por que você faria isso?

– Porque eu te amo. Só por isso, seu idiota.

Então, quando ela terminou de dizer isso, a roda-gigante parou lá no alto. Eles se olharam, e o silêncio os envolveu novamente. Ninguém precisava dizer mais nada, só fazer. Ele fez. Beijaram-se lentamente. E fizeram com que o último ano não passasse de uma simples descida da roda-gigante, e, vejam só, agora eles estão lá em cima, e o mais importante, juntos.

No outro dia, encontraram perdida, bem embaixo do brinquedo, uma pulseira de pedras brilhantes. Eu, como mera observadora dessa história, espero que ela nunca mais a encontre.

O cara
do outro lado

Você o observa de longe. Percebe cada detalhe, como se fosse a primeira vez. Como se o seu universo fosse o mesmo que o dele. Apesar de nunca terem se falado, sente que foram feitos um para o outro e que poderiam passar a eternidade juntos, com brigas, mas sem outros ou outras. Ele não está do seu lado, mas por algum motivo você pode sentir todas as cócegas e carícias que ele faz em alguém.

Esse cara te faz acreditar no amor. Um amor que arde, que seca e sufoca. Mas que, ao mesmo tempo, preenche. Um espaço que sempre existiu, mas que agora ele ocupa sem saber.

A história dele te inspira e te faz querer mudar a sua, deixar todas aquelas bobagens de lado e viver intensamente como se nada importasse. Então, você fecha os olhos e imagina que tudo pode acontecer. As lágrimas são reais, os sentimentos também. Só falta uma coisa: ele. Um pequeno detalhe que, em ausência, não deixa a história acabar dentro de você. Uma eterna repetição que te faz decorar e imaginar falas, cenas e gestos que nunca existiram.

No seu plano de fundo, nas músicas que você escuta, na conversa com suas melhores amigas. Ele não esta aí, mas está lá, do outro lado da tela, é um personagem dentro de um filme do qual você nunca fez parte, só assistiu.

Seja bem-vinda à vida real.

Depois do amor

A gente se apaixona, sente o movimento das borboletas e toca as estrelas durante a noite antes de dormir. Sente ansiedade e desenha corações em folhas de papel em branco. Isso é amor. É o que dizem, é o que você sentiu. Flores, bochecha vermelha, coração disparado, cabelos misturados e bagunçados na cama. Vocês ultrapassaram as barreiras, alcançaram o felizes para sempre e conseguiram finalmente ficar juntos. Depois de tanto tempo. Depois de tanto desentendimento.

Então ele para de te ligar toda noite e de querer escutar suas conquistas e ideias loucas. Não presta mais atenção no que você fala, ignorando sem perceber todas as suas pistas, achando graça das coisas mais sérias do mundo. O silêncio, que antes só aparecia enquanto se beijavam, agora surge entre uma briga e outra.

Vocês se amam, mas já não conseguem mais ficar juntos. Você não se imagina sem ele, mas, graças às cobranças e brigas, não sente mais tanta vontade de ficar ao seu lado. Você se sente à frente de um enorme abismo. Não consegue alcançar o outro lado nem voltar para escolher outro caminho.

Você chora ao ficar, mas se vê chorando ainda mais ao partir. É difícil escolher quando o que o seu coração quer não é uma opção.

Fingir que nada disso acontece faz seu coração arder. Você é boa nisso, mas saiba que ser forte não tem nada a ver com conseguir disfarçar; ser forte tem a ver com ter coragem e agir. Deixar o tempo fazer isso só piora as coisas. Ele não sabe o que você sente, não sabe o que você passou e quem você deixou para chegar até onde chegou.

Caixa de entrada

Sabe quando você sente que precisa escrever, mas não escreve porque tem medo de sentir? Este texto nasceu assim.

Conheci você em uma dessas ruas sem saída que a vida faz a gente pegar. Sem saber de muita coisa, nos esbarramos por acaso em frente àquele antigo prédio vermelho – que você jura até hoje ser vinho. Tanta coisa no chão fez a gente se confundir e, ao mesmo tempo, se entender. Éramos parecidos demais para termos alguma coisa a ver. Trocamos links, amigos e, depois, encontramos juntos a saída. No começo, eu te enxergava como um possível amor, confesso. Talvez até tenha sentido alguma coisa e criado expectativa para o segundo ou o terceiro encontro. Mas depois de algumas horas, semanas e meses ao seu lado, sem nenhum interesse aparentemente recíproco, desisti. Minha regra sempre foi: evite trocar sorrisos por beijos.

Desde então você se tornou o cara dos meus sonhos. Não éramos príncipe e princesa, mas estávamos sempre juntos lá no baile. Dançando, bebendo ou, sei lá, roubando doces para deixar na geladeira até o próximo final de semana. Aprendi aos poucos a parar de enxergar segundas intenções. Era permitido carinho, era permitido amor, só não era mesmo permitido aquela coisa que todo mundo dizia ser a definição do que é real e do que não é: compromisso.

Passamos os piores e os melhores momentos ao lado um do outro. Mesmo, e talvez principalmente, quando você se mudou pra Califórnia por uns tempos pra fazer aquele tal intercâmbio. Lembro que gastei todo o meu salário de estagiária em uma ligação na qual, sem dizer praticamente nada, consegui explicar o fim de um namoro e como sua presença fazia falta.

Ah, que saudade daquela época em que a gente se encontrava pra jogar o tempo fora, criar pratos extraordinários e assistir ao nosso filme predileto. Você dizia que eu era uma garota diferente. Daquelas por quem qualquer cara do mundo se apaixona com cinco minutos de conversa – e não como as outras, com apenas um olhar. Eu achava graça e dizia que aquilo não era um elogio. Era, na verdade, uma maneira educada e fofa de dizer que eu era mais legal do que bonita.

Agora estamos aqui, trocando e-mails e tentando há semanas marcar um simples café em uma quinta qualquer. Não é irônico? Você tem seus filhos, e eu, o trabalho dos meus sonhos. Parece que conseguimos finalmente o que tanto queríamos. Pena que pra isso tivemos que remar um pra cada canto. Mas, vai, a culpa não foi nossa. Nem sempre o amor tem o mesmo ritmo. Nem sempre quem amamos é quem nos faz feliz. Seja como for, quando der, me liga. Será que ainda tem meu número?

Sentimento salvo com sucesso

Vivo um tipo de exaustão que não passa com descanso. Num sonho que não me deixa há dias cair no sono. No fundo queria que o teto do meu quarto tivesse todas as respostas, mas há muitas coisas que não se aprendem só pensando, é preciso fazer escolhas e vivê-las. Há sempre consequências. Mas antes disso tudo acontecer eu preciso achar meu tênis All Star, colocar o material na bolsa e atravessar cinco avenidas, entrar no metrô, dobrar a esquina e chegar até o lugar onde eu preciso estar em três minutos.

Atravesso diariamente a rua, mas queria mesmo era atravessar o estado. Enfrento semanalmente um antigo medo, mas queria mesmo era enfrentar de vez aquela barreira que criamos na última vez que nos vimos. Quando foi que me tornei adulta pra ter que decidir coisas como essas? Eu queria só me preocupar com a prova de matemática na sexta. Agora eu fico aqui, caminhando entre estranhos na faixa de pedestres, imaginando você surgir de surpresa e cobrir meus olhos com as mãos, acreditando que eu não reconheceria e sentiria sua presença. Eu estou, e você sabe, esperando uma prova de que o que tínhamos não se transformou em palavras escritas e atitudes adiadas.

Na escola, ou melhor, no lugar onde vejo todo mundo querendo coisas para as quais eu nem ligo, me teletransporto toda vez. Queria saber quanto tempo demora pra um sentimento passar completamente. Mas eu só sei da duração da aula: quarenta e três minutos.

Passei a tarde olhando da janela e imaginando se ainda existe solução pra esse nosso egoísmo. Talvez nossas almas estejam em guerra neste exato momento. Buscando em outras vidas o desfecho mais apropriado. Amor e amizade começam com A, mas, pra rimar, amor rima com dor, e amizade, você sabe. Feliz. Idade. Você fez aniversário dia 21, né? Eu não liguei, mas também não esqueci. Da data e do que nós fizemos nela nos anos que passaram. Em alguns deles nós acreditamos que era pra sempre. E agora nós descobrimos que sempre é só mais um momento.

Aliás, conheci um garoto dia desses. Do terceiro B. Ele não se parece em absolutamente nada com você. Nós conversamos, e, admito, fiz algumas comparações bestas. Futebol, chiclete azedo e conhecer a África. Não é engraçado? Você deve estar rindo da minha cara e pensando que eu nunca vou achar graça em alguém que não seja você. Mas passei alguns dias da semana passada marcando e, pasme, indo a encontros românticos. Eu poderia até dizer despretensiosamente que estou apaixonada. Que a voz dele acelera meu coração toda vez que atendo suas ligações inesperadas na madrugada. Acredita que o porteiro ligou agora há pouco dizendo que recebi flores? Minha mãe achou uma gracinha e até perguntou se eram suas.

Sabe, nosso amor não é de estimação. Não quero ter que alimentá-lo sozinha. Dizem que todo mundo carrega uma pessoa especial para sempre dentro do peito. Talvez isso seja verdade. Mas quando saio por aí vejo pessoas sorrindo e festejando alguma coisa. Talvez agora seja minha vez de tentar.

Jurei que não postaria mais nada sobre você no blog. Então estou guardando esses pensamentos em um bloco de notas que muito provavelmente se perderá na pasta de arquivos do ano de 2008. Lugar onde ainda guardo todas as nossas fotos e históricos. Tudo isso para, lá na frente, lembrar o quanto foi difícil te esquecer e do quanto é arriscado voltar atrás e ter que enfrentar a abstinência da sua presença.

Estou me curando, e, pela primeira vez, você não é meu único remédio.

Adeus.

Salvar arquivo como só-abrir-quando-estiver-pronta.

A roteirista

Outro dia achei um caderno da minha época de patinho feio. Sim, quando eu ainda não sorria nas fotos e passava lápis de olho pra tentar parecer misteriosa. Quando escrevi tudo aquilo eu tinha uns doze anos, sei lá o que na cabeça e um garoto chamado Gustavo no coração. Ele era da minha sala, sentava bem atrás de mim. Nós conversávamos durante toda a aula. Ele fazia piada com os meus óculos, e eu achava a maior graça. Na frente dos colegas, no intervalo, ele não me enxergava. Mas nunca liguei pra isso. Afinal, eu também não enxergava muitas coisas.

Um dia resolvi escrever uma carta de amor. Daquelas cheias de corações, borrifadas de perfume e envelope roubado do cartão da árvore de natal. Escrevi sobre o amor – o que eu sabia sobre o amor? – da maneira mais ingênua do mundo: "Do fundo do meu coração". Derrubei umas dez árvores pra conseguir finalmente, sem erros, escrever algo. Por falta de coragem, não assinei meu nome. Supus que ele adivinharia. Ingenuidade, não?!

Cheguei mais cedo só pra deixar a carta embaixo da mesa. Pra disfarçar, saí da sala e só voltei depois que a aula tinha começado. Ele me cutucou e disse que tinha algo pra contar. Naquele instante, meu coração disparou – pela primeira vez, por justa causa –, e eu senti como se o chão não existisse. Flutuei durante toda a aula de matemática (nós nunca conversávamos durante essa aula, o professor nervoso sempre gritava).

No intervalo, pela primeira vez, nós conversamos. Eu estava na fila do lanche, quando ele me puxou e me levou pra um lugar onde poucos alunos ficavam. Com um olhar de quem revelaria um segredo, ele me fez prometer que jamais contaria pra ninguém. Eu prometi.

Falou sobre a carta e também sobre a possível autora dela: uma garota chamada Verônica. Não Bruna, nem Bru – Verônica. Uma das únicas garotas da sala com quem eu conversava, e eu a considerava uma amiga. Uma menina linda, querida por todos e, o pior – ou melhor –, ingênua. Nunca percebia os olhares dos meninos.

Não tive coragem de desmentir, apenas concordei com tudo o que ele disse. Deixei minhas palavras falarem por alguém além de mim. E funcionou, dois ou três anos depois eles começaram a namorar. Eu já não gostava dele nem conversava tanto com ela. Mas quando encontrava os dois, meu coração ficava apertado. Aquela história era pra ser minha.

Aquela foi a primeira vez. Mas depois sugiram outros Gustavos e outras Verônicas. Tenho quase trinta anos e ainda sinto como se tudo o que eu escrevo funcionasse como uma espécie de ponte entre mim e alguém. Onde pessoas percebem pessoas. Mas, nessa história, eu não existo. Ninguém me enxerga. Todos sabem dos meus sentimentos, mas ninguém sabe que são meus e pra quem eles realmente são.

Cansei de ser a roteirista, quero um papel principal. Alguém se habilita a escrever minha história?

O amor dele

— Você disse que seria pra sempre.

— E quem disse que o sempre não é agora?

— Isso não faz sentido algum.

— Eu nunca disse que faria.

— Mas disse que estaria por perto.

— E estou, não?!

— Mas aposto que mais cedo ou mais tarde vai embora.

— Ir embora não significa estar longe de você. Eu posso passar por aquela porta e ter você comigo. Ou ficar aqui e não ter realmente você.

Ele tinha resposta pra tudo. Nada do que eu dissesse naquele momento faria alguma diferença. Nós sabíamos disso, mas eu gostava de fingir que ainda acreditava que nós daríamos certo juntos, de novo.

— Ok. Faça o que você quiser.

— Eu já estou fazendo, sempre fiz. Espero que você seja feliz, e que a nossa história te ajude nas suas próximas páginas.

Eu poderia ficar uma hora falando sobre os motivos que ele tinha pra ficar, mas eu resolvi simplesmente ser mais um pra ele partir. Porque amor por obrigação é pena, e o que eu sentia por ele era bonito demais pra se transformar nisso.

– Eu já entendi que o seu lugar não é aqui. É difícil, mas eu vou ficar bem. Eu sempre fico.

– Minha querida, nós não temos lugar neste mundo. Nós nascemos pra transformar vidas e, consequentemente, sermos transformados. Eu deixei em você a melhor parte de mim, e acho que isso é amor. Isso é pra sempre.

– Então obrigada por isso.

Em um segundo, enquanto uma lágrima escorria dos meus olhos, ele fechou a mala e atravessou a porta – sem olhar pra trás, como sempre fez. A partir daquele momento, eu teria que aprender a lidar com o amor que ele deixou. Pra isso, nada melhor do que escrever este texto. Agora o amor dele também está em você.

O big boss e a minha independência

Nunca fui do tipo de garota que se apaixona logo de cara. Ao contrário de grande parte das garotas que conheci, para mim, a solidão sempre foi uma boa companhia. Desculpa aí, Walt Disney, mas eu não vejo um príncipe encantado em cada cara que me olha ou se preocupa comigo.

Para falar a verdade, sempre vi a maioria dos homens como mulheres, só que sem salto alto e inveja. Depois do último ano colegial, quando minha "melhor" amiga tentou roubar o cara de quem eu gostava, e o cara de quem eu gostava espalhou mentiras sobre o formato do meu peito, aprendi que, algumas vezes, mais vale um homem do lado te ouvindo do que um te beijando e te dizendo o que fazer.

Não pensem que tenho dúvidas em relação a minha sexualidade. Apesar de achar sexy as curvas femininas, gosto mesmo é de homem, de homem de verdade. Daqueles que abraçam forte e não ligam para o que pensam os amigos.

Julgavam-me exigente demais.

Sempre gostei da minha independência. De abrir meu apartamento e de ter a certeza de que ele estará ali, exatamente como eu deixei. Andar só de calcinha e sutiã pela casa e não me preocupar com a porta do banheiro. De ligar para os amigos do trabalho e poder marcar qualquer coisa, a qualquer hora, sem pedir autorização ou deixar recado em post it na geladeira.

Tudo ia assim, perfeitamente bem, até que, no fim de uma reunião de rotina, o meu chefe pediu para que eu continuasse na sala. Ele não era daqueles caras de terno e gravata que a gente olha na rua e aponta: "Aquele é chefe de uma empresa". Na verdade, seu rosto juvenil mais parecia o de um estagiário assustado. Eu não era a jornalista mais antiga da revista, mas eu trabalhava lá havia tempo suficiente para conhecer o cara que dava as ordens.

Nós obviamente tínhamos amigos em comum, então era normal ter encontros casuais em festas e conversas acompanhadas de bebidas e risadas. O "big boss" (como eu costumava chamá-lo) era um cara engraçado, que sabia como fazer com que as pessoas se envolvessem. Quer dizer, todas as periguetes novatas davam mais que atenção – se é que vocês me entendem – para o pobre coitado. Eu só o observava as dispensar, uma a uma – se o próximo parágrafo não existisse, tenho certeza de que você questionaria a sexualidade dele.

Enquanto eu arrumava a pasta e colocava em ordem os papéis da apresentação, ele me observava sem disfarçar. As meninas do prédio juravam que ele era apaixonado por mim, mas, até então, aquilo tudo não passava de especulação feminina – e vontade de me ver levar um fora daqueles bem dados.

– Sabe, desde que você entrou por aquela porta, algo mudou na minha vida. E eu não estou falando da quantidade de dinheiro na minha conta no banco ou das flores vermelhas que você insiste em colocar na minha mesa. Estou falando de como eu me sinto. Nunca fui bom com declarações, acho que, se fiz isso, foi nos dias das mães e no primeiro ano do colégio. Gosto da sua maneira de ver o mundo. Da maneira como se veste, como sorri e como usa esse batom vermelho chamativo. Sua alegria é uma espécie de mistério, um mistério que jamais consegui decifrar, mas do qual sempre quis fazer parte.

E no final, no lugar do "eu te amo", ele disse o que eu sempre quis ouvir: "Você não é como as outras garotas".

O "big boss" gostava de mim justamente porque sabia que eu sobreviveria sem ele e o seu "para sempre".

O carinha
de sempre

Sexta-feira. Quase uma da manhã. Eu já estava desistindo de esperar alguma coisa interessante acontecer quando o vi surgir, como quem não queria nada, no cantinho da tela do meu computador, no meu MSN. Com aquela velha foto de sempre. Com aquele velho sorriso de sempre. Eu não iria puxar assunto se ele não estivesse escutando AQUELA música. Juro.

Sei que foi hipocrisia dizer "quanto tempo!", afinal, minutos antes eu estava pensando na falta que ele ainda me fazia. Ele falou sobre o meu blog, falou sobre o meu cabelo, falou sobre minhas lentes coloridas e, por último, falou da gente. Ele andava me espionando? Não, bobagem. Atualizações do Orkut. Isso não quer dizer nada. Não enlouqueça, Bruna. Nós estávamos quase chegando naquele "ponto morto", quando um fica esperando o outro escrever, quando ele falou algo sobre saudade. Enquanto ele jurava sentir minha falta, eu jurava não acreditar nisso. Só hoje entendo que nós dois estávamos errados.

Eu fui apenas uma de suas meninas, e ele foi o meu primeiro e único cara. Minha inocência sempre o agradou, e sua malícia sempre me enganou. No fundo, eu ainda conseguia me lembrar das vezes em que ele havia me deixado plantada em uma praça deserta. Das milhares de ligações nunca atendidas. Mas eu sentia que, se eu quisesse realmente me vingar, eu deveria continuar por perto provando o quanto eu aguentei firme. Mas ele me dava mole, e no fim de cada frase minha eu deixava subentendido que, se ele aparecesse na minha porta, eu a abriria e o deixaria entrar. Isso estragou tudo.

Depois de alguns minutos aguardando a resposta de uma pergunta qualquer, percebi que ele havia ficado offline. Sem explicações. Eu sabia que a internet não tinha caído, e que, muito provavelmente, ele havia partido em busca de uma "baladinha" cheia de "bebidinhas" e mulheres "bonitinhas".

O meu problema foi demorar demais pra perceber que "carinhas" como aquele nunca são o que parecem ser. Ali, com aquelas poucas palavras, ele parecia o cara ideal. Mas, aqui, ele nunca passou de um desconhecido vazio no meu coração.

Fugindo do jogo

Depois que a ficha cai, nesse caso, vem sempre a pior parte: jogar de novo.

Eu sei as regras, te conheço o suficiente para saber que nada em você é de verdade. Sei perfeitamente que a cada palavra que diz joga no vento um dado; e assim, como em aposta sem sentido, quer chegar sempre na frente. Parabéns, você está vencendo e me deixando para trás. Dói agora, mas tenho certeza de que depois de uma noite de sono – e choro – estarei melhor. Cicatrizando. Te assistindo de longe e lembrando de como você mudou. Na verdade, bem no fundo, sei que você continua igual, só que não comigo, com ela, com outras, com todas as que se deixem levar.

Enquanto eu finjo que não ligo, e faço as brincadeiras mais sérias do mundo, eu tento chegar mais perto, mas tenho sempre a sensação de que nunca é o suficiente. Enganar alguém que já sabe o final da história talvez não tenha mais tanta graça para você.

Neste exato momento, quero colocar um outdoor bem em frente à sua casa, dizendo: aqui mora um idiota.

Mas acredito que todos tenham um papel importante aqui na Terra, e o seu é justamente este: iludir, enganar e transformar garotas ingênuas.

Quer saber? Desejo que você seja feliz, só que, para o meu bem, longe de mim.

Separados

Tudo estava indo bem – você sabia que não estava, mas gostava de fingir que sim –, ele sorria, te abraçava e, às vezes, ficava em silêncio. Esse silêncio te incomodava, mas era algo que você facilmente esquecia: um beijo, dois beijos, um abraço e um pouco mais além. Não era mais o mesmo, mas você preferia isso a outra coisa: solidão.

Foi então que, em um belo dia de domingo cinza, ele te ligou e disse que queria conversar. Tudo bem, você adorava fazer isso. Lápis de olho, blusa amarrotada e tênis brancos meio sujos. Você estava lá, esperando por ele. Linda, cheirosa – gastou todo o seu perfume com ele de novo? – e sorridente. Ele chegou, lindo, cheiroso e não sorridente. Te abraçou como uma pedra de gelo e foi escorregando pelo seu corpo sem que você conseguisse segurar, fazendo escorrer tristeza do seu coração e sair fumaça do seu estômago. Maldita pedra de gelo. Derreteu. Acabou.

Não eram mais os dois, eram você e ele.

Se-pa-ra-dos!

Peixes e amores

Dizem que depois do adeus vem a saudade
Que depois da saudade vem o arrependimento
Eu não me arrependo
Pulei do barco antes que ele afundasse
Eu queria aprender a nadar
Eu precisava
Encontrei milhares de peixes
Me apaixonei por alguns deles
Os devorei
Aprendi hoje que peixes são mais bonitos de longe
No mar
Nadando
Eu não quero entrar de novo na sua embarcação
Sei que afundaríamos novamente
Você também sabe
Apenas peço que pare de remar para longe
Eu odeio te perder de vista
Dói
Desculpe pelo egoísmo, você faz parte de mim.

Deixe o tempo transformar o meu amor em lembrança. Deixe a lembrança te transformar em passado. Deixe o passado se livrar do que não presta. Deixe o que não presta longe de mim. Amém.

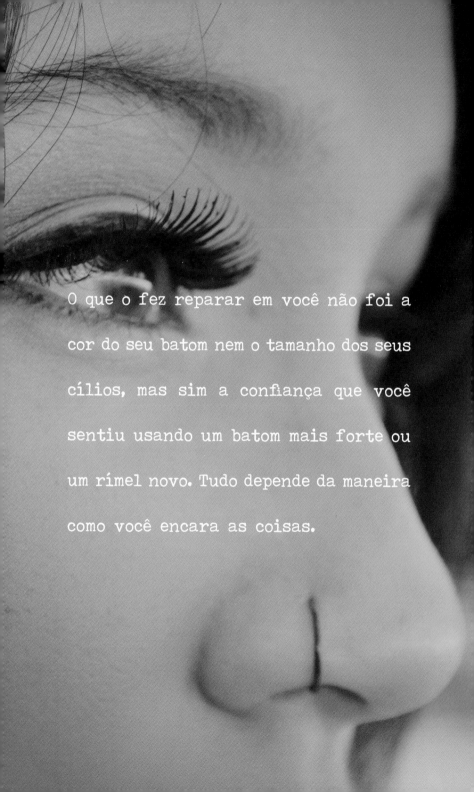

O que o fez reparar em você não foi a cor do seu batom nem o tamanho dos seus cílios, mas sim a confiança que você sentiu usando um batom mais forte ou um rímel novo. Tudo depende da maneira como você encara as coisas.

Odeio a amnésia que você me causa. A maneira como corrompe meus sentimentos e faz todos os erros desaparecerem instantaneamente da minha memória.

Escrevo minha história todo santo dia, e então você aparece para dizer que tudo não passou de rascunho. Que maldade.

Isso que você sente não é amor, é mania.

Escrever é como abrir gaiolas. Coloco as palavras em ordem, descubro a senha do cadeado, liberto os pássaros. E os sentimentos.

E se o único jeito de realmente se livrar de uma coisa for enfrentá-la até o fim? Assumir os pequenos riscos e as grandes consequências. Parar de ficar pensando e procurando respostas para perguntas que, no fim das contas, nem precisam ser feitas. E se o único jeito de não durar pra sempre for viver o agora exatamente agora? Queria saber.

O que nós fomos interfere no que nós somos. Isso me faz querer voltar no tempo e te colocar em um lugar da minha vida onde o destino não me obrigue a correr rápido e me esconder aqui, tão longe. E se a gente não tivesse cruzado a fronteira? Você ainda estaria aqui? Acho que sim. Talvez eu ainda pudesse gastar meus minutos com você e suas histórias, sem ter que, toda vez, odiar minhas escolhas por você não fazer mais parte de cada uma delas.

Não importa quantos segredos foram revelados. Ninguém neste mundo sabe mais sobre você do que você mesmo. O que acontece lá fora nem importa tanto assim. A história muda cada vez que é contada, mas não quando é vivida. Lembre-se, as folhas que faltam ainda estão em branco, e só você tem a caneta que realmente funciona.

Amigo de verdade é aquele que não precisa participar da nossa rotina para fazer parte da nossa vida. Não tem a ver com estar perto ou longe, mas sim do lado. O amor, a confiança e o respeito na amizade devem existir como uma estrada de mão dupla. Do contrário, não estamos falando de amizade, mas de pessoas que conhecem pessoas, colegas. É tão incrível quando você percebe que existem pessoas no mundo que realmente fariam ou deixariam de fazer coisas para te ver sorrindo! É raro, mas maravilhoso e gratificante. Penso que existimos para isso. Cativar quem realmente interessa. Mesmo com a falta de tempo e a correria dessa nossa rotina de gente grande do século 21.

Cinderela
ao contrário

E meus olhos te procuravam no meio da multidão, eu sabia que você estava ali, eu sentia isso. Tinha certeza de que você também estava me procurando, era um quase encontro. Quase porque você não sabia que eu iria, mas, tenho certeza, esperava isso. Na verdade, tinha. Eu podia te imaginar, você usava uma jaqueta azul, que combinava com seus tênis, que combinavam com seus olhos. Minhas amigas olharam para algo que eu sabia que não deveria olhar. Eu olhei. Era você, justamente com aquela jaqueta azul, com aqueles tênis e com aqueles olhos. Que olhavam outra coisa, outro alguém. Você não pode imaginar como eu me senti, e talvez nunca tente. Mas foi algo parecido com uma explosão. Você explodiu de uma só vez meus sonhos e o meu pobre coração. Esqueçam o Osama bin Laden, o terrorista mais perigoso do momento tem outro nome. Que eu me recuso a dizer; ele não merece fama às minhas custas. Na verdade, ele não merece nada. Nem meus depoimentos, nem meus telefonemas... Mas isso é algo que eu contarei depois, não é hora de falar sobre isso. Naquele momento, eu só queria voltar para casa. E fingir que nada daquilo tinha acontecido. Assim como rasgar uma prova com nota baixa. Mas não deu. Testemunhas demais. Na verdade, a festa toda. A Cinderela naquele dia foi embora mais cedo para casa. E com os dois sapatos.

Eu precisava chegar em casa para tirar aquela roupa apertada. Ingenuidade. O aperto mal tinha começado. Minha cama estava cheia de roupas, e a última coisa que eu queria fazer era tirá-las da lá, era muita coisa fora do lugar em apenas uma noite. Eu precisava dormir, mas o meu coração queria me dizer alguma coisa. Eu não entendia, eu não entendo.

O beijo

Eu não estava pronta, mas estava ali. Esperando que acontecesse o que eu não sabia fazer acontecer. Não tinha certeza alguma do que iria acontecer; para falar a verdade, nunca tive. Mas dessa vez era diferente, eu não conseguia disfarçar. O seu cheiro me atraía naquele dia mais do que nunca; você provavelmente havia passado mais perfume do que de costume, ou talvez eu estivesse mais próxima, próxima demais.

Todas as palavras que ensaiei para aquele momento fugiram da minha mente e se esconderam no meu estômago. E, para falar a verdade, fizeram uma festa por lá! Enjoo não é a palavra certa, e, te juro, eu não costumava comer borboletas. Seu sorriso combinava com as minhas bochechas vermelhas, assim como minha cintura combinava com suas mãos. Era a coisa mais estranha do mundo, e eu amava isso.

A Alice que existe dentro de você

A gente vai sempre dormir com aquela vontade de fazer diferente no outro dia, de arriscar e sair da rotina. Planos, desejos e sonhos adormecem junto com o nosso sono. Então, no outro dia, com a rotina e tantos problemas, esquecemos de tudo aquilo que prometemos para nós mesmos antes de dormir.

Arriscar não é uma tarefa fácil, requer coragem e confiança. Quer uma dica? As pequenas mudanças atraem as grandes. Pequenas atitudes, como um simples sorriso, podem mudar toda a sua vida.

Não deixe que o que acontece aqui fora estrague o que reluz aí dentro. As pessoas não precisam te entender. Você precisa.

Nós nunca descobriremos o que vem depois da escolha se não tomarmos uma decisão. Por isso, entenda os seus medos, mas jamais deixe que eles sufoquem os seus sonhos. Siga o coelho. Não tenha medo de entrar nos lugares onde você acha que não cabe. O mundo mágico da felicidade e do amor só existirão se você acreditar neles.

Escute sempre a Alice que existe dentro de você.

Um breve balanço

Parece que foi ontem que abri a porta deste quarto pela primeira vez. Paredes brancas, janelas fechadas e alguns objetos no chão, provavelmente esquecidos pelo antigo morador. Foi o primeiro e único apartamento que olhamos. A primeira vez que chamei um outro lugar de casa.

Na primeira semana, antes de mudar de vez, enquanto ainda estava em São Paulo resolvendo detalhes do aluguel e comprando os móveis, tudo parecia novo e incrível. A parte mais difícil veio quando peguei o ônibus sozinha de Leopoldina pra cá pela primeira vez. Foi logo depois do Carnaval. Era só eu, meus sonhos e as malas enormes. Dei sorte. A poltrona ao lado estava livre. Não tive que segurar as lágrimas na hora da tradicional despedida pela janela.

Cheguei a São Paulo assustada. A primeira semana talvez tenha sido a mais difícil de todas. Mesmo tendo conhecido muita gente pela internet, era complicado estar sempre rodeada de pessoas em quem eu ainda não confiava de verdade. Odeio ter que conversar moderando absolutamente tudo o que vou dizer. Hoje acredito que a solidão tem muito a ver com isso. Não depende de estar com uma multidão sorrindo ou trancada em um quarto escuro chorando. É questão de ter – por perto ou não – alguém pra quem contar aquelas coisas que não deveríamos contar pra ninguém.

Bem, depois de uma ou duas semanas, descobri que eu já tinha essa tal pessoa: minha mãe. Pois é, é bizarro admitir, mas a distância fez com que nos tornássemos ainda mais próximas. E, finalmente, o fato de até então não ter muitos "melhores amigos" fez algum sentido (é melhor e mais fácil quando a gente consegue enxergar o lado bom das coisas).

O tempo foi passando. No meio da bagunça do meu quarto e da minha caixa de entrada lotada, fui descobrindo um mundo, digamos... diferente. Cheio de armadilhas, surpresas e, principalmente, desafios. Sabe aquela coisa que dizem por aí sobre enfrentar por dia pelo menos uma coisa que te faça sentir medo ou frio na barriga? Acontecia sempre: aquela reunião importante, a primeira cena de beijo na aula de teatro, um primeiro encontro com alguém especial, a primeira viagem de avião sozinha, uma palestra em uma escola pra mais de 400 alunos ou, sei lá, as consequências do primeiro porre em uma festa.

Coisas como essas fazem com que eu me sinta cada vez mais uma garota absolutamente normal. Histórias que ficaram registradas e, o melhor, que foram compartilhadas com pessoas que se tornaram ou estão se tornando importantes pra mim.

Acho que, se a gente for parar pra pensar, os nossos erros e acertos acabam sendo uma espécie de bússola interna que carregamos pra lá e pra cá. Eles mostram a direção, mas a escolha será, independentemente de qualquer outra coisa, nossa. Ainda precisamos viver pra saber, e, pra viver, escolher. Depois é sempre tarde.

Tudo aquilo que aprendi antes dos 18

Em maio completo dezoito anos. Não acredito nessa divisão de tempo em idade que inventaram, e não acho que atingir a maioridade seja uma coisa tão importante na minha vida que mereça algum tipo de preocupação. Muito menos um texto. Mas acordei com vontade de contar um pouquinho do que vi da vida nesses anos (principalmente nos últimos três meses) e do que espero para todos os outros. Né? Por que não?

Olhando para dentro (e não para trás), vejo quanto o tempo passou. O quanto, mesmo me sentindo de alguma forma a mesma garota de sempre, tudo inevitavelmente se transformou. Os lugares, os amigos, os valores, os sonhos e até os maiores medos – aqueles que a gente guarda em segredo na alma. Eles mudaram.

Sou mais corajosa do que antes. Aprendi a valorizar a minha própria presença. Já não perco mais tanto tempo com pessoas vazias. Principalmente quando elas estão em lugares cheios demais. É isso. Desisti de tentar me misturar na multidão de cada dia e cada noite. Aceitei minhas diferenças (aquelas que ninguém consegue enxergar). Aprendi a valorizá-las e fazer com que elas nunca se transformem em limitações.

Tenho conhecido muita gente. Feito alguns bons amigos e amigas. Mas confesso que, das pessoas em quem confio, hoje, a grande maioria é mesmo do sexo masculino. Alguém me disse isso há algum tempo, mas só agora tive certeza: é mesmo muito melhor ser amiga dos caras (se você consegue não se apaixonar por eles, claro).

Aprendi a valorizar minha família. Cada vez que vou pra casa e volto pra São Paulo, sinto vontade de agradecer a Deus por tê-los colocado na minha vida. Cada vez que conheço mais o mundo e as pessoas que vivem nele, penso no quanto sou sortuda por ter um lugar pra chamar de casa e pessoas simples e felizes pra admirar. Referência é tudo.

Dei mais um tempo para o meu coração. Mesmo o amor ainda sendo meu ponto mais fraco (que você nunca use essa informação contra mim), sei que agora já não me apaixono pelo primeiro sorriso encantador que decora frases prontas. Fiquei mais cautelosa. Menos promessas. Menos pressa. Mais realidade. Mais intensidade. Menos lembranças. Mais reciprocidade.

Dos antigos relacionamentos, aprendi que dizer eu te amo não é assinar um contrato com tempo de duração. É dizer com apenas três palavras que, naquele momento, aquela pessoa tem alguma coisa que a torna diferente de todas as outras no mundo. Isso não acontece sempre. As pessoas se confundem. Eu me confundi tantas vezes!

Ainda quero alguém que me faça querer viajar o mundo sem destino, de mãos dadas e com apenas uma câmera pendurada no pescoço. Quero alguém que me faça ser assim, mais simples. Alguém que me faça querer trocar uma tarde chuvosa e solitária cheia de livros espalhados e muito trabalho por um dia ensolarado sem muitas pretensões no parque da cidade. Aonde, por sinal, ainda não fui.

Promessas de fevereiro

Sempre que vejo alguma foto de uns três ou quatro anos atrás, fico me lembrando de como eu via o mundo naquela época. Comparar os novos e os antigos sonhos e inseguranças é uma tarefa que costumo fazer constantemente. É nesses momentos que percebo o quanto as escolhas que fiz mudaram tudo. O quanto fui obrigada a amadurecer pra aprender a lidar com as consequências delas. Isso fez de mim uma nova pessoa, e, às vezes, fico me perguntando o momento exato em que tudo isso aconteceu dentro de mim. Será que foi quando deixei os óculos de lado ou quando mudei de escola? Quando me apaixonei por um cara e ele correspondeu sem ser um idiota? Talvez um pouco de tudo, ou nada disso.

Uma hora ou outra a gente percebe que a maneira como os outros nos enxergam tem muito a ver com a maneira como nós mesmos nos enxergamos. Quero dizer, não foi porque parei de usar óculos ou conheci um cara legal que minha vida mudou, foi porque eu me enxerguei bonita no reflexo do espelho e ME SENTI capaz de conquistar alguém especial. Esse "estalo" deve acontecer dentro da gente.

Não estavam brincando quando te disseram que confiança é tudo. Portanto, se você anda fechando os olhos e desejando que tudo isso seja uma fase e que acabe na escola ou na faculdade, sinto informar que isso não vai acontecer. Sempre existirão grupinhos de amigas cochichando e olhando pra você ou grupos de caras que vão te colocar apelidos idiotas. E, pior, eles podem estar um cargo acima do seu.

Pense bem... Deixamos de fazer tantas escolhas por nem nos darmos o direito de saber qual seria a pergunta. Ou, em alguns casos, deixamos que respondam por nós. Independentemente de qual for sua religião, entenda que nós realmente não estamos aqui pra isso. Devemos dizer besteiras, chorar em um quarto escuro, gastar maquiagem em uma festa fracassada, pagar mico por causa dos nossos pais e todas essas coisas que todo mundo um dia vai passar.

O mundo não é sempre um arco-íris. Às vezes só chove, durante dias e dias. A previsão pode não ser boa, mas, pelo que sei, a saída menos dolorosa ainda é simplesmente aproveitar a chuva. Já parou pra pensar que a maquiagem vai escorrer de qualquer forma? Pare de chorar e aproveite o tempo que você ainda tem sendo essa versão de você. Sorria pra desconhecidos. Perdoe quem um dia te fez muito feliz e errou uma vezinha só. Vista amanhã cedo aquela blusa que você ama mas nunca usou. Faça isso e todas as outras coisas.

Uma última pergunta: o ano já está acabando; como andam suas promessas de fevereiro?

Pendências

Hoje eu queria falar sobre aquela velha sensação de que alguma coisa está errada. Nó na garganta. Frio na barriga. Aperto no peito. São descrições físicas pra algo que, na verdade, acontece na alma. Eu sei, você já fez a prova de matemática, já arrumou seu quarto, levou o cachorro pra passear e até fez aquele favor que estava há séculos prometendo pra alguém. Por fora tudo parece certo, mas alguma coisa ainda está incomodando você.

Admita comigo. Ainda falta uma coisa. O seu maior segredo. Algo que você nunca superou e jura "pela morte da sua mãe" que acabou e não faz a menor diferença na sua vida. Eu sei que, quando você está sozinha, volta lá e relembra tudo. Pesquisa sobre a vida dele (ou dela). Abraça a foto. Sabe o que é isso? Pendências da vida.

A gente tem a mania idiota de dividir o tempo em três partes (passado-presente-futuro) e dizer pra todo mundo que isso ou aquilo ficou definitivamente pra trás. Quer saber o que eu penso? As coisas – e principalmente as pessoas – nunca ficam pra trás. Elas ficam é mais lá pra dentro. Guardadas. Abandonadas. E, raramente, esquecidas.

Acredito que nós somos tudo aquilo que vivemos e sentimos. Deixar alguma coisa pra trás não nos faz mais fortes ou maduros. Aprender a lidar com ela, isso sim. Mas tal feito a gente não consegue "deixando pra trás", e sim cutucando, sentindo, conversando e, principalmente, vivendo.

Quando a gente não coloca um fim de verdade, uma hora ou outra certas coisas (e sentimentos) voltam à tona. Quando escrevo "fim de verdade", não estou me referindo ao tão temido adeus. Até porque, pra mim, essa palavra não quer dizer absolutamente nada. Já disse muito "adeus" querendo dizer "fica mais", e "oi" querendo dizer "sai fora".

Tem a ver com o que a gente realmente sente, e o que a gente acaba fazendo. Por isso, sempre digo: antes de virar a página, certifique-se de que realmente já fez isso por dentro. Você com você mesmo. Se não, grite, chore, escreva cartas, mande flores... Faça o que tiver que fazer. Mas não deixe pra depois uma coisa que acontece agora.

Aprendi com o tempo que, enquanto não for a hora do ponto final, a história vai continuar acontecendo. Em segredo, com vírgulas ou sem vírgulas. Se não fora, dentro da gente.

As pendências que mais no sufocam são aquelas de que já tentamos nos desfazer diversas vezes. O segredo? Viver o resto. As reticências (ou o pra sempre) nada mais são do que três vezes o ponto final (o fim).

Eu te amo e enter

A internet mudou minha vida. Eu, mais do que ninguém, posso dizer isso. Digamos que ela me abriu portas, janelas e, se bobear, até uma passagem secreta para o amor. Como assim? É que praticamente todos os caras com quem já me relacionei, por quem me apaixonei e que conquistei até hoje foram através dela. Há alguns anos, eu achava o máximo tudo isso. Imaginem só, a menina mais tímida da sala poder conversar com o mais popular e ainda dar boas risadas de coisas banais sem ninguém julgar ou apontar. Ah, minha época de MSN 24 horas por dia. Foram tantos casinhos madrugadas afora! Tantos Thiagos, Felipes, Lucas… No fundo, na época, eu precisava de alguém pra me ouvir, e eles eram realmente bons nisso.

Eu contava sobre o meu dia, sobre os meus medos, minhas brincadeiras e até uns segredos que poucas pessoas que conheço pessoalmente sabem. Sim. Eu também já disse "eu te amo" pra uma pessoa que era especial, mas que, não, eu não amava. Sempre que assisto a um filme em que esse tema é abordado (*Amor e outras drogas*, assisti ontem), me questiono sobre o assunto. Logo eu, que acredito tanto no sentimento amor, já falei sem querer e sentir que amo. Pela internet, mas falei.

Percebo que isso acontece muito hoje em dia. Cada vez mais e mais. Somos a geração "Eu te amo e enter". É tanta

117

(falsa) intimidade! Vejam só: temos acesso livre ao álbum de fotografias (esse nós só veríamos depois da apresentação dos pais), depoimentos emocionantes (esse só no aniversário de 15 ou de 18 anos), conversas com outros amigos (atrás da porta ou na mesa ao lado), filmes prediletos (indo de mãos dadas à locadora pra alugar).

Depois de alguns minutos de conversa, pronto, já sabemos quase tudo sobre o outro. Mesmo sem os famosos "olhos nos olhos", nos sentimos próximos da pessoa. O suficiente pra compartilhar momentos e frustrações. Principalmente frustrações. Já reparou? As pessoas nunca são felizes na internet. Caio F. Abreu nunca foi tão citado.

Bem, vocês sabem, o coração não quer saber se a pessoa está perto ou longe. Se é rico ou pobre. Popular ou antissocial. É só arrancar boas risadas, ser inteligente, gostar de ouvir e dar conselhos e pronto. Você já tem um novo affair. Ele parece legal, tem tudo pra dar certo. Se isso vai durar? Talvez. Sempre me perguntam: o amor é pra sempre? Sei não. Pra mim, as pessoas têm uma concepção meio errada do que é o eterno. Pra sempre não quer dizer que isso ou aquilo vai durar pelo resto dos seus dias, quer dizer que você nunca esquecerá.

O amor virtual não se resume a um "L" entre parênteses na tela de um computador. O amor de verdade, mas só o de verdade, acontece aqui dentro, naquele lugar onde ninguém consegue tocar, só sentir.

Nem no cérebro nem no coração, na alma. Pouca gente enxerga isso, mas a maneira como esse sentimento tão nobre se manifesta não é o mais importante. Um beijo é bom, é sim. Mas uma palavra de conforto em um momento difícil e uma risada enquanto escapa uma lágrima, pra mim, valem muito mais.

Férias na praia

Outro dia achei uma foto antiga atrás da cama e me lembrei da minha infância. Essa frase é clichê, eu sei, mas parece que foi ontem que eu ainda me olhava naquele espelho e via no reflexo uma garota tímida atrás de uns óculos redondos da Turma da Mônica. Acho que já estou – ou me sinto – velha o suficiente pra escrever sobre como o tempo tem passado rápido.

Já estou no terceiro ano e, há alguns anos, quando via alunos do ensino médio, pensava: nossa, como eles são velhos, grandes e adultos. Ficava louca pra chegar nessa fase e ter certas liberdades. Que bobice! Jamais imaginaria que algumas coisas daquela época fariam tanta falta. Como as viagens de fim de ano. Meu pai e o meu tio combinavam um dia do mês, e, em dois carros, todos seguiam em direção a Itaoca, uma pequena cidade do Espírito Santo.

Na véspera da viagem eu nem dormia. Ficava fazendo planos mentalmente e colocando coisas inúteis na mala. Antes das quatro da madrugada, o despertador fazia todo mundo levantar da cama. Enquanto todo mundo se arrumava e disputava o café da manhã, a buzina do carro do meu tio fazia toda a vizinhança acordar.

Depois de muita correria, e alguns berros da minha mãe com o meu irmão por implicar comigo, lá estávamos todos nós dentro do carro. Eu já dopadona de Dramin, claro. Das viagens em si me lembro pouco, só da parada, quando eu comprava um salgado qualquer e um suco de laranja. Eu amava ouvir as piadas do meu tio. Ele sempre fazia todo mundo rir. Como eu era a única menina entre os sobrinhos, o assunto era sempre masculino. Mas eu nem ligava; na verdade, adorava.

Em meio à ansiedade e ao cheirinho de mar/sal no ar, eu só me sentia realmente feliz quando via na beira da estrada umas árvores específicas da região. Não vou dizer o nome porque não tenho certeza. Mas aquele era o sinal de que a praia já estava bem próxima. Nessa hora, eu e meu irmão ficávamos olhando entre as ruas daquelas cidades estranhas pra ver quem avistava o mar primeiro. É óbvio que o meu irmão sempre ganhava.

Chegando lá, encontrávamos os outros primos e tios que só víamos nessa época do ano. Finalmente uma prima da minha idade. Engolíamos o almoço e corríamos para o mar como aquelas tartarugas que acabaram de nascer. Confesso que eu nunca gostei de ficar de biquíni, da areia e do sol, mas estar ali com todo mundo me fazia realmente feliz. Construir castelos, levar caixote, juntar conchinhas... Ah, que saudade!

Depois de uma tarde inteira no sol – e muito picolé e milho verde –, todos iam em direção à casa do meu avô. Lá descansávamos por algumas horas e, depois, nos aprontávamos pra sair. O point da cidade na época – e provavelmente até hoje – era uma pequena praça com lanchonetes e jogos. Eu e meus primos passávamos a noite jogando aqueles joguinhos, e, pra terminar a noite bem, um superlanche cheio de maionese e briguinhas entre primos. Essa era a rotina dos quatro dias de férias. Que, infelizmente, pareciam durar poucos segundos. Nós voltávamos pra casa mortos de sono – mas eu ainda precisava do Dramin – e com uma cor bem diferente da que tínhamos quando chegamos.

Hoje, mais de sete anos depois, algumas coisas mudaram. Meu pai não curte mais viajar de carro pra longe, meu irmão está fazendo faculdade fora, minha prima ainda mora lá e, quando vem a Leopoldina, quase não conversamos, e os meus outros dois primos só vejo muito de vez em quando, em alguma festa ou coisa do tipo.

O que me dói é saber que a vida hoje em dia é assim. Que uma hora ou outra cada um vai seguir seu rumo, e, em alguns anos, talvez nem lembremos mais o nome um do outro quando nossos filhos perguntarem quem é aquele da foto. Uma pena, pela família, pela amizade e pelo amor.

Dizem por aí que a gente cresce e fica mais esperto. Será mesmo?

Sintonia e amizade

Anos atrás, quando este livro ainda nem estava na minha lista de sonhos, eu tinha uma visão bem diferente do que era a amizade. Sempre fui uma garota tímida, então eu enxergava barreiras onde, na verdade, só existiam pontes. Não conseguia me impor e mostrar para as pessoas quem eu realmente era ou gostaria de ser. Eu até tinha amigas, poucas, mas tinha.

A questão é que, na época, por inocência, eu fantasiava demais as coisas. Deixava passar certas atitudes e fingia que tudo aquilo era normal. Resumindo: pagava pau pra quem nem se importava comigo.

O tempo foi passando, e algumas coisas aconteceram. Em tempo, percebi o quanto as coisas poderiam ser diferentes se eu tomasse certas atitudes. E tomei. Não foi fácil, eu me senti sozinha durante dias e noites. Foi horrível. Eu chorei em um quarto escuro por horas. Mas eu precisava fazer. Pra descarregar toda aquela energia. E, em meio a tantas incertezas, encontrar quem eu realmente sou e o que eu realmente quero.

Então, muitas coisas incríveis começaram a acontecer. Por causa disso, ou não, fui me afastando do meu antigo eu pra conhecer o meu agora: o presente. Alguém mais maduro, menos dependente e mais confiante. Nessa mesma época, ganhei um concurso e uma viagem pra Paris. Por sorte ou destino, tudo o que era pra dar errado deu certo.

Na época, quando o resultado saiu, eu precisava de alguém pra ir viajar comigo. Aqui na minha cidade poucas pessoas que conheço e em quem confio sabem falar inglês fluente e já foram pra fora (requisitos impostos pela minha mãe). Semanas antes, enquanto conversava com uma amiga "de internet" no MSN, comentei da hipótese da viagem e de como seria legal viajar com ela. Acabou que, na última hora, com a desistência de uma tia, minha mãe aceitou a ideia de eu ir com uma desconhecida. Marcamos de nos encontrar um dia antes da viagem, em Belo Horizonte. Lá, nós e nossas mães finalmente nos conheceríamos.

Nos falamos bastante por Messenger e, no dia, tudo deu certo. Nossas mães se deram superbem, e nós também. Viajamos juntas para o lugar mais incrível em que já estive, e vivi uma das melhores semanas da minha vida. Com direito a centenas de fotografias, micos, conversas e muita, muita risada. Lembro que quando acabou, do ônibus, olhando através da janela a estrada se movimentando, odiei mil vezes morar tão longe.

Os dias foram passando, e com muitas conversas e risadas nós fomos compartilhando a mesma lembrança. E criando uma amizade bem bonita, coisa que eu já nem acreditava mais poder acontecer na minha vida. Nos demos tão bem que até fizemos planos: talvez no próximo ano moremos juntas lá em São Paulo.

Vocês devem estar se perguntando "por que ela está contando isso?", né?

Hoje, enquanto voltava de viagem e observava as infinitas montanhas aqui de Minas, percebi uma coisa: as barreiras que mais nos limitam são aquelas que nós mesmos criamos. A distância não é nada perto do que a gente tem dentro do peito. Seja amizade, seja amor ou só carinho.

O mundo é tão grande, tão cheio de pessoas sorridentes e misteriosas! É bobagem ter medo de encarar isso. Não precisa ser agora, não precisa ser semana que vem, queria apenas que vocês enxergassem isso dessa maneira.

Se você estiver se sentindo sozinha agora, ou, sei lá, quando sair em uma sexta-feira à noite, não se culpe. Nem sempre é fácil ser quem se é, e, principalmente, nem todo mundo é obrigado a amar você. Sabe aquela coisa de não esperar demais dos outros? É bobeira. Se a gente parar de acreditar em quem a gente ama, a gente para, sem querer, de acreditar em nós mesmos.

Por um mundo onde maquiagens duram mais quando são compartilhadas. Onde sorrisos não são apenas para fotos. Onde amizade é amizade, independentemente do tempo, da distância ou do que for!

Epifania

Feche a porta e apague a luz. Arrume tempo para isso e não se esqueça daquilo. Feche os olhos, durma logo, tente não pensar em nada – nem em ninguém. O sono não aparece, os pensamentos nostálgicos dão as caras. Passarinhos cantam na janela. Acorde logo. Músicas chatas – são suas prediletas.

Não acredite nos contos de fadas. Seja uma princesa. Encontre um cara. Finja que não se importa com ele. Deixe as borboletas nascerem, mas não as liberte tão facilmente. Entregue-se. Não se perca de você mesma. Tente definir o amor com as mesmas palavras de sempre. Convença alguém de que você acredita nisso. Beije-o.

Seja você hoje. Ame quem ama quem você é, não quem você foi. O telefone toca. Não é ninguém, mas você tem que atender. Escreva mentiras em folhas de papel amassadas e as jogue onde a pessoa certa possa encontrar no momento errado. Aproveite antes que vire rotina.

Você não está em uma competição. Elogie suas amigas. Sorria para desconhecidos. Você não precisa concordar com seu espelho. O que tem dentro importa mais. Às vezes dói e queima. Dias cinzas são assim.

Um batom diferente, por que não? Ninguém notou. Mentira. Você se acha linda com ele. Isso importa. Tenha personalidade. Não mude nunca por quem não muda nada para você.

Caixa postal

Alô! Não posso te atender agora, mas, mesmo assim, antes de desligar, queria dizer algumas coisas. Não vai demorar. Prometo.

Talvez você nem se importe mais, mas nos últimos meses estive ocupada vivendo a vida dos meus sonhos. Conquistando, aos pouquinhos e quase sozinha, aquelas coisas que sempre te disse que queria pra mim. Mudei de cidade, decorei meu apartamento, viajei pela Europa, arrumei um trabalho melhor, fiz novas amigas e até adotei um gatinho preto (lembra que eu morria de medo de gatos?).

Sei que não tem notícias minhas desde a última vez em que nos falamos pessoalmente, e que todos os nossos amigos perguntaram de mim quando você estava só por aí. Mas não me culpe. Eu tive que enterrar tudo o que sentia por você pra conseguir acreditar que um dia nasceriam flores novas por aqui.

Pode parecer loucura, mas, nos primeiros dias, toda noite antes de dormir, eu fazia questão de me lembrar de todos os seus erros. Dos mais bobinhos até aqueles que quase nos fizeram terminar. Tentava me convencer, aos poucos, de que você nunca foi o cara certo pra mim e que nosso amor foi só mais um dos meus erros típicos de adolescente que quer explorar o mundo aos dezesseis.

No fundo, tentei enxergar um pouquinho de você em todos os caras que conheci. Na balada, na viagem, no elevador, na livraria, no metrô... Mas, sabe, tenho tido uma preguiça enorme de deixar as pessoas descobrirem meus piores defeitos e minhas maiores qualidades. Um medo idiota de que desistam e que, ao mesmo tempo, não desistam de mim. Essa coisa de conquista parece bem mais legal nos filmes de comédia romântica.

Sinto falta da nossa sinceridade. De me sentir segura, mesmo contando meus maiores medos, devaneios e sonhos pra alguém. Queria mesmo era encontrar um cara que me conhecesse como eu sei que [só] você conhece. Alguém que olhe pra mim e dispense legendas. Que me faça, sem presentes e promessas, sentir a pessoa mais especial deste planeta.

Fico pensando como seria se a gente tivesse nos dado mais uma chance. Se o medo de estragar a amizade não tivesse sufocado o que jurávamos de pé junto ser amor.

Não vou mentir, ainda penso que um dia vamos nos encontrar, mesmo que sem querer, por aí. Nessa vida ou nas próximas. Imagino que, independentemente das circunstâncias, vamos nos olhar e ter a certeza de que fomos feitos um para o outro. Meu bem, o amor, ou seja qual for o nome desse sentimento que me faz querer compartilhar com você minhas descobertas desta vida, independe da distância ou do tempo.

Não acho justo deixar o destino escolher por nós dois. Ir embora, enquanto o amor vai adiante. Ainda temos aquela opção de deixar as coisas acontecerem, aos poucos, ir com calma. É isso. Desliga e apaga logo o meu número da sua agenda, pra sempre, ou liga de novo até eu conseguir atender. Agora!

Tu tu tu tu tu tu tu tu...

Entre dois mundos

A rua é a mesma. O calor também. Depois de algumas horas no ônibus olhando a estrada e viajando, em pensamentos, provavelmente bem mais rápido do que aquelas rodas aguentariam, cheguei. Engraçado. Voltar para a casa dos meus pais sempre me faz pensar na vida. Lembrar de algumas coisas e imaginar outras. Não sei se isso é saudável, ou se é mais um daqueles rituais de sofrimento que costumo cultivar quando tenho algum tempo livre. O importante é que quando venho para cá, do meu antigo quarto, consigo sentir como eu me sentia antes. E às vezes, em épocas de grandes mudanças e pequenas incertezas, isso se torna fundamental e altamente perigoso. Gosto do risco.

Abraçar a Zooey. Ficar o dia todo deitada na cama olhando pro teto no escuro. Almoçar com a família toda na mesa, ouvindo as piadinhas sem graça do meu pai. Escutar carros passando no final da tarde com músicas de gosto duvidoso e no último volume. Minha tia chamar para ir à missa. Resumindo: coisas simples para as quais antes eu não dava a mínima e agora fazem meu coração bater mais calmo e feliz. Como aquela antiga voz e a conversa rápida no telefone. Que louco, né? O mundo dá tantas voltas que às vezes é difícil ficar em pé. Mas, me apoiando nessas palavras, criei uma teoria. A teoria dos dois mundos. O das pessoas simples e o resto.

No mundo das pessoas simples, as coisas costumam ser um pouco mais leves. Menos pose, expectativa e maquiagem. Mais praia, tardes sem grandes acontecimentos com os amigos de longa data e tempo para bater papo com a avó na varanda. Menos pressão, cobranças e promessas. Mais hoje. Menos atualizações no Facebook. O mais importante de tudo: menos necessidade de julgamento dos outros e da vida. Por que precisamos entender cada resto de sentimento em nós?

Pessoas complicadas geralmente nos prendem. Já as pessoas simples nos deixam ir para onde precisamos ir. Elas não precisam de tantas explicações, sabe? Simplesmente continuam vivendo e continuam lá. Em algum lugar onde vamos sempre alcançar. Independentemente do tempo, da distância ou do que for. Pessoas complicadas estão ocupadas tentando parecer ocupadas. E, por mais que isso seja irresistivelmente misterioso, no final das contas, são só pessoas perdidas em suas próprias escolhas e consequências.

Onde eu entro nessa história toda? Sei não. Acho que tenho um pé nos dois mundos. E esta sensação que às vezes me corrompe e consome, como agora, é apenas a consequência da vontade de estar sempre em equilíbrio.

Coisas que ele já deveria saber

O amor não é exatamente como contam as músicas que tocam no rádio. Sabe como a gente descobre isso? Amando. Vivendo a incrível e, às vezes, devastadora experiência de sentir e enxergar a nossa própria felicidade no sorriso de um outro alguém. Quando acontece, é mágico. Mas em um mundo naturalmente egocêntrico como este em que vivemos, isso não é tão fácil quanto parece.

Afinal de contas, todo mundo tem sua própria história, e, não adianta, amor nenhum apaga isso. Na verdade, esse sentimento existe mesmo é pra gente se curar e se cuidar. Ver graça na existência. Nas sextas. Mas, principalmente, aceitar que ninguém é perfeito e que todo dia vamos aprender alguma coisa com alguém inesperado. Sério. Até com aquele cara que fez você chorar durante horas na sexta.

E este texto é justamente pra ele. Ou eles. Parágrafos que contam de uma maneira superficial o que vi, vivi e aprendi. As certezas que tirei das minhas pequenas incertezas de cada dia. Bom, chega de enrolação. Lá vai:

1. Pare de achar que entende sempre o que ela sente. Anota aí: sentimentos mudam em questão de atitudes. Ficar imaginando só torna as coisas mais complicadas do que já são. O título de namorado não te faz um telepata. Abra o jogo. Uma boa conversa de verdade te transforma em um cara maduro. Garotas espertas gostam de caras maduros.

2. Não queira substituir a melhor amiga. Namorado é namorado, e amiga é amiga. Ambos são postos importantes na vida de uma garota. É simples: um é o cara que vai entrar pelo tapete vermelho, e a outra é a que vai ser madrinha e fotografar tudo no melhor ângulo (porque só ela sabe qual é). Essa competição é idiota. Caras que ficam querendo atenção o tempo todo são um saco. Respeite o espaço dela e não ache que, por estarem juntos, você será a vida dela. Você só faz parte disso. E, se não ficar esperto, nem isso, viu? Vai por mim: o maior medo de uma garota é ver as duas pessoas que ela mais ama se amando ou se odiando demais.

3. Não comece uma história no meio da outra. Todos nós temos um passado. Até aquela garota com quem você ficou sem compromisso na festa do final de semana. Flashbacks não são justificáveis. Ou você ainda sente, ou você está pronto de verdade pra viver outra experiência. Nunca um meio termo. Eu sei, vai, todos nós precisamos de um tempo pra superar certas coisas. Só não acho justo colocar alguém inocente nessa confusão. Cativar pra depois simplesmente colocar no banco de reserva. Isso é jogo perdido. Ao contrário do que dizem, o tempo não faz as coisas que vivemos ficarem pra trás. O tempo faz a gente ser maduro o suficiente pra guardar lá dentro e, aí sim, seguir em frente.

4. Vá com calma. Coloque o cinto de segurança. Olhe para os lados e depois veja se o sinal está verde. Agora sim, acelere e sinta o vendo balançar seu cabelo. Escute a música que começou a tocar no rádio. Que sorte! Ainda é sua preferida. Ok. Foi uma metáfora bobinha pra explicar que paixões também podem acontecer em um tempo legal. Aos pouquinhos. Conhecendo os defeitos, erros e acertos um do outro. Equilibrando e adaptando a realidade dos envolvidos sem pressa de chegar logo no destino. Aliás, qual é o destino mesmo? A vista e o abraço sincero parecem bem convenientes pra você agora.

5. Sexo não é tudo. Assim como o amor não é. É como aqueles vidros com areia colorida dentro que a gente compra de lembrança quando vai ao litoral. Eles precisam estar exatamente com a medida certa, no lugar certo, pra formar um desenho realmente bonito. É importante que os dois queiram o mesmo desenho, sabe? Mas a vida é assim. Cada um tem seus medos. Cada um tem seu tempo. A questão é: está disposto a adiantar ou atrasar os ponteiros?

6. Os juros da cobrança podem sair caro demais. E ela provavelmente nem estará disposta a pagar tanto. Resmungar, mandar indiretas, ficar em silêncio pra ver se ela pergunta o que aconteceu... Coisas que todo mundo fez, coisas que todo mundo faz. Mas será que você não está exagerando? Você não vai transformá-la na garota dos seus sonhos. Se der sorte e o destino for bonzinho, vai é se apaixonar cada vez mais por aqueles defeitos que antes você abominava. Se não acontecer... desencana.

7. O que vão pensar é a última coisa em que você deve pensar. Ninguém merece homem inseguro que precisa da aprovação alheia pra fazer, dizer ou demonstrar alguma coisa. Não acredito nessa de cuidados com exposição do casal. Quando a gente está apaixonado de verdade não dá a mínima pra isso. Quer mesmo é pular, beijar, escrever e gritar pra todo mundo o que sente pelo outro. Sem exageros ou com exageros. Vai por mim, isso não deveria ser um grande problema.

8. Não pare de fazer o que te faz feliz. Mesmo se ela pedir, ameaçar ou implorar de joelhos. Divida seu tempo, organize seus compromissos e, se precisar, tenha uma agenda. Mas não pare nunca de achar graça nas coisas que te fazem feliz agora (ou fizeram ontem, né?) simplesmente porque alguém acha que você deveria fazer isso. Às vezes isso acontece naturalmente, e é uma merda. Burro é quem muda por amor em vez de deixar o amor mudar tudo.

9. A roupa que você veste não é o mais importante. O estilo de música que você curte também não. Muito menos o número de seguidores que você tem no Twitter. O que realmente faz diferença no fim das contas é o jeito como você a faz se sentir toda vez que se encontram. Isso é charme. Isso é humor. Isso é inteligência. É papo. É sintonia. É também o que você está disposto a fazer (de verdade) pelo que você sente.

10. Amor é um sentimento louco que não faz o menor sentido. Se a gente for parar pra pensar, viver também não. Mas é justamente quando não temos tempo de ficar criando planos mirabolantes pra fazer as coisas mais simples da vida que somos felizes de verdade. Pense pouco, diga menos e faça o que for preciso.

Uma última coisinha: ser humano não combina com generalizações. Talvez essas dicas funcionem, talvez façam tudo desandar de vez. Mas, se você for parar pra pensar, a culpa não será toda de alguns parágrafos escritos em uma madrugada qualquer por uma pessoa que nem te conhece. Então, se você chegou até aqui, seja por que motivo for, pense nisso. E naquilo.

Cinderela
e o sapato
sem número

Cinderela encontrou seu sapato em um café. No começo da manhã de uma quinta qualquer. Atrasada para o cursinho, poucas horas de sono e um punhado de papel solto dentro da bolsa listrada com manchas de canetas que ela sempre se esquecia de tampar. Cinderela precisava de um café quentinho, mas acabou pedindo suco de laranja com gelo e sem açúcar, simplesmente porque não conseguia se decidir sob pressão. Fila grande, caixa impaciente. Vocês sabem como as coisas funcionam em São Paulo.

Foi em direção à única mesa vazia, derrubou sem querer os guardanapos no chão e finalmente se sentou na cadeira. Desastrada. Colocou o celular na mesa e só então notou as notificações na tela que avisavam de algumas mensagens não lidas e ligações perdidas. Ela odiava atender ao telefone mais do que odiava o barulho do despertador ou o picles do McDonald's. Sem grandes motivos ou fugas. Apenas queria aqueles bons e velhos minutos de liberdade, sem grandes expectativas. Um café. Ou, quem sabe, pelo destino, um suco. Sem hora marcada ou mentira contada. Depois de tanto tempo falando "nós"...

O dia estava cinza, e ela ainda tinha alguns minutos antes do segundo horário. Com trilha sonora, ou melhor, fones de ouvido, a vida era mais bonita e também mais complicada. Ao som de Katy Perry, ela queria ser famosa e mandar o ex para o espaço. Ao som de Avril Lavigne, queria passar mais lápis de olho e tirar o All Star da última gaveta. Ouvindo John Mayer, queria virar escritora de romances. Sem música nenhuma, queria mesmo era ter uma máquina de teletransporte para chegar logo em casa, deixar o sapato no caminho e mergulhar, se enrolar e se perder na imensidão da colcha com estampa de bolinhas.

Enquanto bebia o suco, por um canudo verde e outro rosa, reparou em um cara que estava na mesa ao lado. Era um garoto de no máximo vinte anos de idade. Tinha cabelo escuro, pele bastante pálida e vestia uma jaqueta jeans desbotada combinando com uns tênis rabiscados. Estava lendo um livro com capa cinza – que não era Cinquenta tons de cinza – e ao mesmo tempo olhando para longe através da janela. Logo a garota supôs que ele sofria por amor. Sentiu então uma vontade louca de sentar ali do lado para ouvir sua versão do que provavelmente aconteceu no último final de semana. Droga. Falar com desconhecidos parecia mais fácil nos filmes.

Levantou com cuidado, pegou a bolsa e a notinha para acertar a conta. Passou pelo outro caminho até o caixa e, quando estava já perto dele, sorriu. O garoto distraído correspondeu com outro sorriso e fechou o livro sem ao menos lembrar de marcar a página. Levantou, derrubando os talheres no chão, incomodando todos ao redor, e, em seguida, também foi para a fila. Os dois trocaram algumas palavras e descobriram que moravam no mesmo bairro e que compartilhavam a mesma situação: novatos na cidade grande.

Ele tinha um jeito irritante de falar tudo rápido demais. Talvez fosse um ex-tímido que se transformou em um garoto bonito. Quero dizer, qualquer garota arrumaria a franja e o olharia na rua até virar na esquina. Garotos assim geralmente não ficam sozinhos em cafeterias ou em qualquer outro lugar. Mas ele estava.

Aquela foi então a primeira vez que eles saíram juntos daquele café. A primeira vez que ela não criou expectativa de cara ou sentiu vontade de falar sobre o passado. A primeira vez, e talvez última, que o amor nasceu sem peso, sem preço e sem número exato. Serviu direitinho.

A garota que veio com passado

Engraçado. Você apareceu exatamente quando eu queria desaparecer. Eu te olhei de longe e achei que poderia ser um ótimo ponto final para uma antiga história. Nós nos envolvemos, e eu, aos poucos, fui te conhecendo. Decorando suas pintas e segredos. Seria hipocrisia dizer que não nos comparei com cada segundo do meu passado. Mas era diferente. Você realmente se importava com os detalhes. E isso era tão assustador que eu tinha vontade de ficar debaixo do edredom para sempre, brincando de fugir da realidade. Mas amanhecia, e ela sempre voltava.

Naquela época eu estava quebrada no chão, e você juntou aos poucos cada pedacinho da minha alma. Não criei expectativas. Fui deixando você me montar, me moldar, me abraçar. As pessoas diziam que nós fomos feitos um para o outro. Aquilo não fazia o menor sentido, mas eu adorava quando seu nome aparecia na tela do meu celular no meio da madrugada.

Ficar por perto era como dormir sem escovar os dentes. Eu gostava do risco, mas algo ainda me fazia voltar instantaneamente no tempo. Um aperto. Um espaço. Uma voz. Um lugar dentro de mim que você ainda não conseguia alcançar direito. Eu rezava para esses fantasmas pararem de me atormentar. Fechava os olhos e morria de medo de alguma coisa sair pela minha boca sem querer. Trocar os nomes e as datas.

Os dias foram passando, e cada vez eu me lembrava menos. Ainda me sentia a pior pessoa do mundo, mas acordar ao seu lado, enxergar o sol clareando o quarto pela manhã e ver o seu sorriso se aproximar da minha boca, transformando-se em um beijo doce e demorado, camuflava a culpa.

Lembra daquela vez em que eu tinha certeza de já ter te contado uma história secreta sobre minha infância? Não era você que tinha ouvido da primeira vez.

Por que diabos a ordem cronológica dos meus sentimentos nunca corresponde à realidade? Queria poder dividir meu coração em dois. Tirar para fora a parte infectada. Será que existe médico para isso? Inventaram nome para essa doença? Tem cura? Eu venderia aquele colar com pedrinhas verdes que ganhei da minha mãe para pagar. Trocaria todas as coisas que posso guardar na gaveta da minha penteadeira por meia dúzia de certezas. Nem precisa tanto, vai, por uma só.

Domingo passado estive frente a frente com o meu passado. Sinceramente, não sei se estava pronta. Nossos olhos se cruzaram, e, por alguns minutos, foi como se você nem tivesse existido. Queria ser Chronos. Foi tão difícil resistir e ouvir aquelas histórias! Eu poderia correr para longe, mas fiquei ali, congelada, enfrentando o conjunto de moléculas que eu jurava ser o único que conseguiria me fazer feliz de verdade nesta vida. Quando as protagonistas dos filmes fazem isso, parece muito mais fácil.

Eu achava que álgebra era difícil. Que a prova final de matemática do terceiro ano tinha sido a coisa mais complicada que consegui resolver. Mas aí eu cresci e vi que certas questões em nossa existência exigem mais da gente do que algumas semanas de estudo. Colocar sentimentos e atitudes na balança não é tão simples, mas dessa vez o final da história foi diferente. Não voltei para casa mais uma vez me sentindo uma idiota solitária que não sabe o que quer. Tudo por mim, por você, pelo que vem aí pela frente. Não vou deixar nossas vidas tomarem rumos opostos. Meu coração é estrábico, mas acho que conseguimos lidar com isso e com aquelas outras coisas que ainda vou te contar no caminho.

A aeromoça e o cara da rua de cima

Nós nos conhecemos em 1984. Ou quase. Ele andava com os meninos da rua de cima, e eu ainda nem podia sair de casa direito. Meu pai era militar e inventava muitas regras. Lembro que minhas amigas comentavam sobre um cara bonito que tinha um sorriso engraçado e uma pinta em forma de coração no pescoço. Achei aquilo curioso e talvez por isso jamais me esqueci daquela conversa no beco. O tempo passou, meus pais se mudaram, e eu nunca mais vi, do portão ou da janela de casa, o garoto passar.

Os tempos mudam. A época de escola consome tempo demais quando você tem que decidir o que fazer no seu futuro. Conheci alguns caras, me apaixonei três ou quatro vezes, mas nunca tive um daqueles amores que fazem a gente querer ficar junto com alguém até os oitenta e poucos anos. Achava que o problema era comigo. Não via graça em quase ninguém. Todos da faculdade e depois do trabalho pareciam tão iguais. Tão assustados com a vida e com as possibilidades que ela dá.

Eu me divertia com meus personagens preferidos nos filmes a que assistia nas horas vagas. Isso me levou a mudar de profissão. Queria vi-ver o mundo. Vi que pra ver eu teria que partir. Então, em um domingo cinza qualquer, fiz as malas e fui pra Barcelona. Fiz cursos, algumas provas e gastei meus últimos trocados. Virei aeromoça e me reinventei. Minha mãe acha que eu enlouqueci. Meu pai faleceu em 1994, mas com certeza diria que eu tenho vento na cabeça. Talvez eu deva acrescentar coração. Ok. Não tenho rotinas, e essa é a coisa mais legal do meu trabalho. Conheço mais de cem pessoas completamente diferentes todo santo dia. De algumas tenho vontade de conhecer a vida, outras, de entrar nela. Às vezes penso que teria dado certo com o Lucas do voo 3043. Se eu não o tivesse comparado tanto com o Matheus, do 2940. São só suposições, e eu nunca vou saber como seria, porque agora eles provavelmente estão vivendo em continentes diferentes e nem lembram o meu último nome.

O mundo visto da janela de um avião é menos complicado. Nossa imensidão interna não se compara com a imensidão que existe lá fora. É engraçado, né? Teoricamente, todos nós passamos pela mesma coisa na vida. Nascemos, crescemos, estudamos, casamos, viajamos, envelhecemos, ficamos bobos e achamos que sabemos da vida, então morremos sem nem saber direito o final da história. A graça é então o que acontece enquanto ela está sendo escrita. Deve ser isso. Tenho pânico de finais. Odeio quando a música acaba, quando chegamos ao destino ou quando apagam a luz e já é hora de dormir.

Leio todos os dias e costumo deixar uma marca de batom em cada espelho por que passo. Recebo no dia 28 de cada mês e coleciono cartões postais. Escrevo neles sobre os países que visito e os lugares de que mais gostei. Mas não sei se ainda tem alguém no mundo que realmente se interessa por isso. Minha tia não conta.

Ontem fiz São Paulo-Paris. Não vou mentir, fiquei reparando no pescoço dos caras de trinta e poucos anos para ver se o acaso tinha me preparado uma surpresa. Não é pedir demais, né? Eu boto fé que aquele garoto da rua de cima ainda será alguém no destino desta minha vida cheia de destinos. Não foi o dia do grande encontro. Mas, tenho certeza, ele está por aí, e uma hora ou outra precisará voar para algum lugar distante. E eu? Vou mostrar as saídas de emergência que levam nossa história ainda inexistente para um lugar onde ela sempre fez o maior sentido. Minha mente.

A carta da esposa

Ouvimos a porta do quarto bater mais forte durante semanas. Você sempre aparece e desaparece depois de despejar meia dúzia de palavrões que, no fim das contas, nós dois sabemos, não mudam absolutamente nada em nossa triste situação. Talvez, no fundo, tenha a certeza de que, independentemente do que for dito, eu sempre estarei te esperando com a casa organizada e as roupas passadas na gaveta, naquele mesmo lugar de sempre.

Esperar você chegar durante a noite é como me preparar para a guerra. O corretivo serve para camuflar minhas noites de choro virada para o outro lado. O batom vermelho, para tentar te fazer lembrar do nosso primeiro encontro no parque, no final dos anos 1990. Acho que isso é uma espécie de escudo. No reflexo do espelho, enxergo claramente alguém que você amou, mas, no fundo, sei que já não sou essa pessoa há tempos. É triste, e está ficando cada vez mais tarde. Seu carro não estaciona. O inimigo, que já foi meu melhor amigo, não vem mais hoje.

No porta-retratos da sala, ainda estamos felizes e sorrindo. Aquela é minha foto predileta, mas confesso que já faz alguns dias que não olho mais para ela para tentar lembrar do que nós éramos, mas sim para tentar inutilmente descobrir o que me faltou ser. Isso tem me deixado louca.

Sinto tanta falta das suas mãos. Das mensagens com respostas imediatas. Dos planos para o final de semana. Da viagem tradicional de final de ano. Da possibilidade e da ansiedade de nos tornarmos quatro em alguns meses. De dormir sabendo do seu dia. Do cheiro do seu perfume na sua pele. Da luz do sol batendo pela manhã nos seus fios de cabelo. De você nervoso perto do meu pai. De ouvir a estação que só fala sobre futebol enquanto andamos de carro. De dormir olhando nos seus olhos. Quando foi que nossos pés pararam de se encontrar por acaso na cama?

Minhas amigas dizem que você tem outra. Que, neste ponto da história, talvez conhecer alguém me faça muito bem. Mas qualquer cara com quem esbarro por aí me parece uma cópia falsificada de alguma fase sua. Do colegial, quando você usava All Star, ouvia folk e era absolutamente inseguro com sua barba ainda meio falha. Ou então da faculdade, quando você não tinha tempo para nada, não entendia a maneira como seu pai lidava com a morte e sonhava em conhecer a Venezuela. Férias de 2003.

Nós não nos casamos pensando que daria errado. Acho que até fomos felizes. Especialmente quando misturamos nossas almas e colocamos no mundo alguém com sua boca, meus olhos e os cabelos ruivos e finos que sua mãe tinha. Agora, sinceramente, não consigo mais me lembrar de quem eu era antes de te conhecer. E não sei se aquela minha versão ingênua e insegura conseguiria dar conta de tudo isso sozinha. Então, por favor, responda de uma vez, você vai, não vai? Se sim, o que eu vou dizer para ela quando um garoto da turma se comportar como um idiota covarde? Dizer que ele fez exatamente o mesmo que você?

Confissões de um chefe de família

Promessas não estabilizam amores. Ninguém tem palavra quando o que se prometeu era a eternidade. Na época eu tinha 18 anos e estava meio hipnotizado por aqueles olhos azuis que não paravam de me olhar durante a aula de sociologia. Ela era a garota mais irritante da turma, e isso me fazia querer agarrá-la e jogá-la pela janela. Mas pular depois, porque, na verdade mesmo, eu não aguentava ficar muito tempo longe e morria de medo de que algum daqueles caras imbecis da turma percebesse o quão incrível aquela garota que se escondia atrás de uns óculos fundo de garrafa realmente era.

Fui pra faculdade querendo descobrir o mundo. Mas o que aprendi de verdade foi que um salário nem sempre dá pra pagar seus desejos e os da garota que você ama. Algum tempo depois, me formei e arrumei um emprego melhor. Fui promovido e comprei uma boa casa no centro da cidade. Acho que nessa época eu era o cara de que todo pai se orgulharia. Menos o meu. Com a morte da minha mãe, enterrei uma parte de mim mesmo. Talvez a melhor parte que já existiu.

Minha filha nasceu em uma tarde ensolarada de uma quarta-feira. O choro dela se transformou imediatamente na trilha sonora dos anos seguintes da minha vida. Me lembro como se fosse hoje da primeira vez que ela falou meu nome, ou daquela fase em que ela morria de medo de chegar muito perto. Foi assustador, mas logo passou, e eu me tornei o seu melhor amigo e professor particular de matemática.

Nesse momento da história as coisas começaram a se repetir. E tudo aquilo foi me embrulhando o estômago e o coração. Problemas na escola, problemas em casa e problemas na firma. Todos diziam que eu deveria fazer alguma coisa, mas ninguém dizia que coisa era essa. Foi assim até um fim de tarde chuvoso na porta do trabalho. O barulho do trovão quase não me deixou escutar o seu nome. Dividimos o único táxi que se arriscou a andar naquela tempestade. Trocamos cartões e passamos a almoçar juntos durante a semana, no trabalho. Falei sobre os meus problemas, e você garantiu que era só uma fase ruim.

A cada dia eu queria comer menos e falar mais. Sua voz fazia meu coração acelerar e aquele sentimento enchia minha cabeça de dúvidas. Minha filha não teria mais orgulho de mim. Mas eu precisava viver, e te ver, e te dizer. Na verdade, nem precisei. Depois daquela reunião de sexta--feira, só sobramos eu e você na sala. E a mesa. Depois, seu apartamento. Aquele hotel que nós achamos na estrada.

Todos os meus problemas desapareciam quando você estava por perto. E cada vez eu queria que isso durasse mais tempo, independentemente das consequências e das ausências. Tudo estava ficando mais louco do que nunca, mas tudo bem, você tinha resgatado aquela minha parte enterrada havia anos. Era como ter vinte anos de novo.

Queria conseguir resolver as coisas. Mas é bem mais complicado do que você pode imaginar. Quando chego em casa as coisas explodem e eu tenho medo de que não sobre mais ninguém depois da verdade. Feche os olhos, eu já vou. Amanhã a gente conversa sobre isso, talvez eu finalmente consiga. Vamos ver.

Pedidos do novo amor da sua vida

Quando nos conhecemos chovia tanto que achei que nunca fosse chegar em casa viva. Morar sozinha em uma cidade grande é mais assustador quando o sol não aparece. Mas lá estava você, lindo, de terno, todo molhado e em busca de um táxi qualquer na rua já deserta da firma. Acho que o seu carro tinha ido para o conserto. E depois daquele nosso primeiro olhar, creio que o seu coração também acabou indo.

Dividimos o táxi, os problemas, alguns almoços e, depois, um primeiro e inesquecível beijo. Confesso que não me lembro de nenhuma palavra dita naquela reunião. Você é tão envolvente quando fala sobre negócios! Eu poderia planejar e calcular nosso futuro em uma planilha de Excel, se você topasse. Mas parece que infelizmente demorei tempo demais para esbarrar com você. Soube desde o começo que você tinha casa, filha e mulher. Mas descobri também, ainda naquela época, que aí dentro batia um coração e que, seja qual fosse a verdadeira razão, quando eu estava por perto, ele fazia isso de um jeito diferente e especial. De um jeito que, como você mesmo disse várias vezes, ela não conseguia fazer havia anos.

O passado não foi feito para prender a gente. Promessas deveriam ser proibidas por lei. Como é que alguém compromete o resto da vida sem saber o que pode acontecer? São tantas possibilidades, tantas alternativas diferentes. Além do mais, nós vivemos em metamorfose, e o amor não existe para ser casulo de ninguém. A história continua, mas os personagens podem mudar a qualquer momento. Basta o tempo passar, a gente querer ou o destino acontecer. Ainda assim, mesmo tendo certeza dessa teoria, é estranho ser a outra. A mulher que mudou o fim da história. Às vezes demoro a dormir e penso no que minha mãe acharia de tudo isso. Acho que me mataria e me obrigaria a voltar para o interior. Fico me sentindo suja quando você me conta das loucuras que ela comete. Talvez culpada. Defendo as vilãs nos filmes e nas séries e digo para as minhas amigas que no fundo elas também têm sentimentos e motivos.

Nunca te contei, mas, quando você não está, acordo no meio da noite e choro porque posso estar destruindo sua vida, e eu te amo demais para fazer isso. Penso que talvez seja mais fácil dizer adeus e deixar você voltar para casa sem me carregar junto, na cabeça. Mas não dá. Você fica na saída do prédio, me manda mensagens no meio do expediente e, quando estamos separados, aparece com cara de quem precisa de ajuda. Não resisto e volto. Mas não dá para continuar assim.

Ligue para a sua mulher. Fale de uma vez por todas que não existe nada de errado com ela. Dê suas razões e explique que existe mais alguém na história. Não diga o meu nome, nem como me conheceu, apenas que vocês, de agora em diante, serão amigos e que não é para ela ficar distorcendo o passado em busca de motivos. Faça com que ela perceba que às vezes as pessoas mudam e os sentimentos se transformam. Apresente aquele seu amigo do futebol. Ele não estava sozinho? Explique que essa é única maneira de ela finalmente te superar. Um novo amor. Escute os gritos, mas, nesses momentos, imagine que depois seremos só eu e você. Encontre sua filha. Explique de um jeito que, lá na frente, quando ela conhecer alguém, entenda exatamente o que está acontecendo. Toma, aqui está o telefone, liga agora?

Diário de uma filha solitária

As coisas estão tão complicadas lá em casa que a melhor parte do meu dia é aquela em que estou com meus amigos, na escola. Minha mãe diz que eu preciso entender e ser uma boa menina, que é só uma fase difícil, mas minha vontade é colocar o fone de ouvido e fingir que nada disso está realmente acontecendo. Tenho o maior medo de que descubram lá na turma. Não aviso das reuniões de professores há séculos. Imagina o que aconteceria se eles descobrissem que meus pais passam a noite toda gritando e falando aquelas palavras horríveis? Dia desses até quebraram o vaso de flores da sala. Descobri porque cortei meu pé andando descalça por lá no final de semana. As flores eram vermelhas, e minha mãe o havia comprado em uma viagem que eles fizeram em 2003. Deve ter custado uma fortuna.

Não tenho muitas recordações de uma família feliz de verdade. Nos álbuns de fotografia antigos que ficam na estante da biblioteca vejo sorrisos e lugares que não me lembro de ter visto. Mesmo estando ali. Acho que naquela época as coisas eram mais fáceis. Pena que eu ainda era uma criança idiota que só chorava e fazia bagunça na casa toda. Queria ter uma boa memória desses momentos.

Na real, não sei mais se quero que o meu pai volte para casa todos os dias. Talvez, se ele demorar mais algumas semanas, minha mãe o esqueça de vez. Ou, talvez, se ficar um pouco mais, minha mãe finalmente perceba que ele não é mais o cara que ela conheceu muitos anos atrás. Queria conseguir conversar com minha mãe sobre isso. Mas acho que ela nunca vai me considerar uma amiga, sabe? Sou um peso. Um motivo a mais pro meu pai ficar por mais tempo. A melhor coisa que aconteceu na vida deles, mas, ao mesmo tempo, a única coisa que ainda faz essa mentirada toda "ter sentido". Sei muito bem que minha mãe não é vítima nessa história. Reconheço que ela tem lá os seus defeitos e suas loucuras. Brigamos todos os dias por diferentes motivos. Mas, no fundo, queria mesmo é que ela finalmente percebesse o quão triste é quando o amor se transforma só em medo de se perder.

Assim como ela, não reconheço mais meu pai. Mas não o odeio por isso. É meu pai, né? Admito, ele é o tipo de pessoa que eu jamais gostaria de me tornar ou de conhecer por aí. Principalmente me apaixonar. Gente egoísta não sabe amar de verdade. Dizer adeus não é um problema. Mas os piores caras ainda são aqueles que dizem adeus e ficam para sempre.

Fico pensando, será que a culpa disso tudo é minha? Será que se eu não existisse as coisas seriam diferentes? Acho que eu sobreviveria muito bem com pais separados, mas eu não sei se consigo viver assim, com pais que se odeiam e mentem o tempo todo, para si mesmos e, claro, para mim. Ao contrário das outras meninas que passam por isso, eu gostaria de ter duas casas. Seria bizarro, e minha mãe teria um treco, com certeza, mas eu gostaria. Imagina só. Duas decorações diferentes, dois endereços distantes e eles com tempo para fazer outras coisas além de brigar. Sensacional!

Agora está chovendo. Odeio dias com chuva. Estou indo me deitar, e é claro que minha mãe ainda nem subiu para o quarto. Aposto que está olhando pela janela e vigiando ansiosamente a chegada do meu pai periodicamente desaparecido e atrasado. Será que eles acham que eu não percebo? Sei lá, vou continuar com o meu fone de ouvido e fingir mais uma vez que já dormi. Não quero atrapalhar mais esses dois.

Vértices de um amor

Naquela manhã, acordei como se tivesse acabado de fechar os olhos – eu realmente precisava levantar daquela cama? Bem, o meu despertador jurava que sim. Quem precisa de um bom dia? Ignorar broncas, tropeçar em um sapato jogado no chão e abrir a geladeira sem sentir vontade de comer absolutamente nada parecia muito apropriado para uma segunda-feira pós-término de namoro.

Que tal um banho? Chorar enquanto a água do chuveiro escorresse pelo meu corpo parecia uma proposta tentadora, mas minha promessa de não mais deixar escapar tristeza em forma líquida a tornava impossível. Um banho rápido, uma roupa qualquer e um blush – quebrado – no rosto.

Eu realmente gostaria de ter me lembrado de onde coloquei o outro pé do meu All Star na última sexta. Tanta coisa que eu gostaria de esquecer... Por que meu cérebro – e meu coração – insistem em guardar apenas coisas idiotas? Bom, ótimo. Lá estava ele, bem na minha cara, debaixo do meu vestido preto jogado embaixo da cadeira. Por que – mais uma vez – eu não lembro como ele foi parar ali? Talvez eu tenha passado o final de semana ocupada demais tentando parar de chorar.

Bem, hora de partir. Não nasci rica ou superinteligente para simplesmente escolher deixar de ir à escola. Naquele dia, especialmente, o caminho até lá parecia mais comprido do que de costume, e as árvores que antes me cumprimentavam pareciam rir da minha cara:

— Aquela não é a idiota que perdeu o namorado para a melhor amiga?

Uma vantagem de chegar atrasada: poucas pessoas no corredor. Eu não queria conversar com ninguém sobre o que havia acontecido no final de semana. Eu poderia guardar esse segredo para sempre. Mas, bem, para isso eu teria que matar todos os envolvidos, e eu realmente não queria olhar na cara desses até o dia em que eu me tornasse uma garota invejável e estivesse em pelo menos dez capas de revista diferentes. Nunca.

— Desculpe pela demora professor, posso entrar?

O fundo parecia o lugar mais apropriado para mim naquele momento, embora o meu lugar ainda estivesse aparentemente vazio. Vejo que eu não fui única a chegar atrasada.

Contas. Presidentes. Átomos.

Isso foi o sinal do intervalo? Ninguém sentiria minha falta lá fora, e eu realmente estava com sono. Quinze minutos de uma soneca sem interrupções...

— Danie, você está bem? — Aquela voz era familiar, aquele cheiro também.

— Matheus, não acredito, você voltou! — Aquele foi o abraço mais forte que dei nos últimos meses.

— Você não sabe o quanto senti sua falta.

— Na verdade eu sei, eu senti isso ao quadrado.

Eu estava quase chorando quando lembrei o quanto consigo ser engraçada — e não idiota — com aquele cara por perto. Eu realmente senti falta do meu melhor amigo.

155

– Quando você voltou? Por que não me ligou ou mandou um e-mail? Eu realmente precisei de você nesse final de semana.

– Eu queria fazer uma surpresa, e, você sabe, eu não queria causar problemas com você e o... – Ele não terminou a frase, abraçou-me novamente e disse que agora tudo ficaria bem, ele realmente estava de volta.

Os quinze minutos passaram muito rapidamente.

Enquanto ele trazia a carteira para o meu lado, notei o quanto seus músculos tinham crescido nesse tempo em que estivemos longe um do outro. Eu poderia fingir que aquele peitoral era um enorme travesseiro e chorar até que minhas últimas lágrimas secassem.

Durante as duas últimas aulas, ele me contou sobre a sua viagem e como foi incrível conhecer o outro lado do planeta.

– A propósito, Danie, o que você fez nesses últimos meses?

– Perdi minha virgindade com um idiota que me trocou por minha melhor amiga. Ou perdi minha melhor amiga para um idiota que tirou minha virgindade. Qual você prefere?

Ele apertou minha mão e sorriu como se nada daquilo fosse importante. Eu realmente queria acreditar nele.

– Você almoça lá em casa hoje? Minha mãe vai adorar te ver.

– Eu realmente não posso, tenho que resolver algumas coisas com o diretor e depois ensaiar. – Eu tinha me esquecido de que o meu melhor amigo agora era um ator de verdade.

– Te vejo mais tarde então?

– Eu passo na sua casa à noite, como sempre.

Embora ainda existisse algo morto entre meu estômago e meu coração, eu me sentia melhor. Jogar a mochila no sofá, comer sem respirar e me deitar na cama até sentir vontade de levantar. Novamente, nunca.

"And it breaks my heart, and it breaks my ha-ah-ah, art. And it breaks my ha-ah-ah, ah-ah-aart" – esse é o meu celular e sua mania de tocar sempre que eu não quero atender.

Vejam, era o número de um dos vértices do meu triângulo amoroso. Desgraçado. Eu não via problema em deixar o celular tocando, afinal aquele toque era minha música predileta. Regina Spektor me entenderia. Eu voltaria a dormir, se minha mãe não tivesse gritado:

– Danieeeeeeeee, alguém está na porta chamando por você.

Eu sempre odiei os gritos da minha mãe, mas aquelas palavras soaram como um cochicho carinhoso. Levantei correndo e fui a caminho da escada, tinha que ser o Matheus. Enquanto ele subia, eu, como de costume, sentei no último degrau; aquele era o nosso local preferido da casa. Sempre ficávamos conversando por – imperceptíveis – horas e horas.

Embora eu estivesse feliz pela presença daquele meu velho – melhor – amigo, comecei a sentir um estranho enjoo no estomago. Era hora de desabafar, de mexer em feridas que ainda sangravam dentro de mim. Mas tudo aquilo era preciso: Matheus era o meu Merthiolate. Ok, sem trocadilhos da próxima vez.

– Que bom que você chegou.

– Desculpa pela demora, você sabe como é o diretor. Esquece, toda vez, de parar de falar. Mudando de assunto, acho que precisamos conversar sobre assuntos seus. Quero que você desabafe, chore, me abrace, me morda ou, sei lá, grite até sua mãe gritar mais alto te mandando calar a boca.

– Matheus, sabia perfeitamente que em algum momento tocaríamos nesse assunto. Você se importa se eu não entrar em detalhes? É tudo muito recente e estranho pra mim. – Alguns falam pra gente ficar bem, outros fazem a gente ficar bem. Matheus era exatamente este tipo de cara.

– Claro que não, Dan, os detalhes seus olhos me dizem. Não se preocupe, conversaremos quando você puder e quiser. Ah, quase esqueci, trouxe sorvete de creme. Embora eu ainda não tenha encontrado gosto nesse sabor, sei que é o seu predileto.

Enquanto preparava os potes para colocar o sorvete, fui desabafando.

– Sabe, Matheus, é como se eu tivesse perdido meus dois braços, e, acredite, a parte realmente difícil é não poder pegá-los de volta. Dói tanto que eu tenho vontade de esquecer e ligar para os dois fingindo que nada aconteceu.

– Mas é claro que você não vai fazer isso...

– Eu nunca fui a melhor namorada do mundo, muito menos a melhor amiga, mas juro que fiz tudo o que podia para ser e fazer feliz. É realmente muito estranho ver duas das pessoas que mais amo no mundo se amando.

– Veja pelo lado bom: você me ama e eu te amo. Somos uma dupla como nos velhos tempos, você lembra?

Eu conheço o Matheus desde quando eu usava óculos e andava só de calcinha pela casa. Sua mãe o trazia para brincar com meu irmão, mas ele nunca foi muito fã de videogames. Nossas brincadeiras inventadas sempre foram mais interessantes. Embora eu tivesse tudo a ver com aquele cara, e o perfume dele fosse realmente bom, sempre o enxerguei como melhor amigo. Ele era sinônimo de sorriso, não de beijo.

Conversávamos sobre coisas aleatórias até que o meu celular tocou novamente. Matheus olhou para mim como se quisesse dizer: "Eu sei que é ele, quer que eu faça alguma coisa?". Eu apenas balancei a cabeça fazendo um sinal positivo.

– A Danie está ocupada demais sendo feliz para falar com lembranças idiotas como você.

Eu estava? Bem, eu estava.

Eu realmente tinha me esquecido o quanto ter um cara – de verdade – do lado era bom. Tomamos sorvete, conversamos um pouco mais sobre a viagem e, por fim, vimos um episódio de uma série americana que amávamos. Ele adorava imitar um dos personagens:

– Danie (toc, toc), Danie (toc, toc), Danie (toc, toc). Já posso entrar no seu coração, senhorita lágrimas?

– Seu ex-nerd musculoso idiota, você nunca saiu dele.

O tempo passou rápido, já era hora de dizer adeus de novo. Ele se despediu com um abraço apertado e disse que estaria por perto na manhã seguinte. Respirei fundo e fechei a porta. Olá de novo, solidão.

Como sempre, meu quarto estava uma bagunça. Eu precisava dar um jeito na minha vida – quem está escrevendo isto, eu ou minha mãe? O fato é que, se eu realmente quisesse começar de novo, eu precisaria apagar algumas coisas que me prendiam ao passado. Apagar e-mails, fotos, depoimentos e, por último, arrancar a última folha de todos os meus cadernos da escola. Eu sabia que nada daquilo me faria feliz naquela noite, mas eu estava disposta a tentar. Tomei banho – sem pensar em lágrimas dessa vez – e, depois de estar vestida com um pijama confortável e pega-frango, fiquei alguns minutos me olhando no espelho do banheiro. Por mais que as coisas tivessem mudado completamente, eu ainda era a mesma Danie de sempre.

Foi naquele exato momento que percebi que não me adiantou de nada apagar e esconder todas aquelas coisas. Minha maior lembrança estava naquele reflexo, minha maior lembrança estava dentro de mim. Era hora de mudar meu reflexo no espelho, era hora de parar de lamentar. O que uma tesoura tem a ver com isso? Uma nova franja pode fazer coisas que você nem imagina.

ZzZzzZzZzZzZzZzZZzZz

Acordar de madrugada era uma merda, acordar triste de madrugada era... Bem, você sabe como é. Pegar o celular pra escutar músicas depois de ir um milhão de vezes à cozinha e voltar correndo com medo do escuro parecia uma boa ideia. Meu celular só tinha músicas com as palavras "amor", "love", "você e eu", "paixão"... Preciso dizer mais alguma coisa? Lá vou eu mergulhar de novo – dessa vez, de bomba – nas minhas lembranças.

Eu ainda conseguia sentir o perfume do Phelipe – acho que ainda não apresentei o idiota da história como deveria pra vocês – no meu quarto. Isso só piorava as coisas.

As pessoas costumam dizer que tentar esquecer alguém não funciona; isso definitivamente não é verdade, nós conseguimos, sim, esquecer o outro, mas em pedaços, aos poucos. O problema é que nossa memória tende a apagar primeiro o que mais doeu. O que sobra então? Os abraços, os olhares, o perfume e o sorriso. Por isso os primeiros dias de solidão são sempre os mais dolorosos. Adormeci enquanto me odiava por não conseguir adormecer.

Tudo novo, de novo. Bom dia, árvores idiotas. Bom dia, pessoas idiotas que ficam me olhando como se eu fosse a Lady Gaga vestida de carne. Bom dia, carteira. Bom dia, meu amo... Péssimo dia. Ele veio, eu podia sentir aquele perfume a quilômetros de distância. Atrás daquela parede amarela estava uma espécie de dispositivo que fazia meu coração disparar e queimar, digo, meu ex.

Respirar, olhar pra frente, rebolar. Respirar, olhar pra frente, rebolar.

Eu teria conseguido se ele não tivesse gritado meu nome. Ah, aquela voz. Respirei fundo e virei pra trás como se eu não soubesse quem era o dono daquele timbre insuportavelmente gostoso.

– Nós precisamos conversar.

Sério, Phelipe? Acho que na verdade eu quero te matar. Eu teria dito isso, mas a única coisa que saiu da minha boca foi:

– Quando?

– Agora, venha comigo.

Aquela sim era uma proposta tentadora, mas eu não poderia fazer isso. Por mim e, agora, pelo Matheus. Ele não sentiria orgulho de me ver voltando atrás. Tudo bem, vai. Algumas palavras e algumas verdades não fazem mal a ninguém. Lá vamos nós de novo.

Quando chegamos ao fundo da escola, ele parou bem na minha frente e ficou me olhando nos olhos.

– O que foi? – eu disse enquanto tentava não olhar para aqueles olhos azuis.

– Eu sei que tudo o que você mais quer agora é uma explicação que faça sentido. Mas, por enquanto, não posso dizer toda a verdade para você. Eu te amo, mas isso não basta. Admitir isso é a pior parte.

– Por quê?

– Nem sempre a vida depende só do que acontece aqui dentro – segurou minhas mãos e apontou para o coração.

– A gente cresce e descobre que a parte mais difícil é escolher entre o que faz a gente feliz e o que faz quem a gente ama feliz.

– E você escolheu o quê?

– Escolhi o melhor pra todo mundo.

– Você acha que isso é o melhor? Então divirta-se.

Não consegui dizer mais nada. Aquelas frases fizeram tudo parecer ainda mais confuso. Por que as coisas que ele dizia, mesmo que sem sentido, pareciam sempre as coisas certas?

Saí sem olhar pra trás fingindo que nada daquilo havia acontecido. Pensei: "Matheus, meu filho, você precisa parar de chegar atrasado, mais uma dessas e eu não aguento". Surpresa! Ele já havia chegado.

– Você estava aí? Nem te vi chegar – eu disse, com o sorriso de eu-não-estava-falando-com-meu-ex-acredite-em--mim.

– Eu te vi, mas te achei ocupada demais para atrapalhar. – Droga, não funcionou.

– Ele me chamou para conversar, acho que realmente precisávamos conversar sobre algumas...

– Dan, você não precisa me explicar nada, é sua vida, seus sentimentos e, principalmente, o seu ex. Ah, e olha, sua melhor amiga – apontou para a porta.

– Ex! – Fiz questão de ressaltar.

– Que seja, a aula vai começar, assente-se por perto.

Mais presidentes. Mais átomos. Mais contas. Dessa vez, mais complicadas que as de ontem.

Intervalo? Por favor, não. Eu realmente não queria levantar daquela carteira e olhar pra trás. Eu precisava ser confiante e parecer feliz. Sentei na mesa de Matheus e conversei sobre assuntos irrelevantes. Rir ao falar sobre o tempo? Essa era minha tática de mocinha-feliz-sem-passado. Usar meu melhor amigo pra esquecer/maltratar/impressionar o meu ex-namorado era maldade, mas eu não tinha outra opção.

No caminho de volta pra casa, Matheus perguntou sobre a nossa conversa, e eu disse exatamente o que tinha dito e escutado.

— Esse cara é um idiota. Eu realmente não sei como você foi se apaixonar por ele.

Fora os músculos, fora o sorriso, fora o cheiro, fora o bom humor, eu também não sabia o porquê.

Matheus morava longe, mas fazia questão de me levar todos os dias até a esquina da minha rua — na verdade ele parou de fazer isso quando comecei a namorar.

— Obrigada por estar sempre do meu lado, amiguinho.

— Eu é que tenho que agradecer por você emprestar o seu sorriso para os meus olhos — disse ele me fazendo cosquinhas.

Qualquer garota acreditaria que frases como aquela eram de um cara apaixonado. Não era assim, era o Matheus. Meu melhor amigo e ponto.

A aula havia acabado mais cedo, então, provavelmente, naquele dia eu almoçaria com toda a família.

— Mãe, cheguei!

— Oi, filha, como foi na aula?

Contar uma história típica de filme de Sessão da Tarde minutos antes do almoço? Não.

— Normal, mãe, o de sempre.

— Você está diferente, eu realmente acho que aconteceu alguma coisa. — Fala sério, mães espertas são realmente um problema.

— Sério, mãe, eu só tô cansada. Esse final de semana foi exaustante.

– Pois descanse, seu pai deve chegar amanhã e tem uma surpresa pra você.

Eu queria com todas as forças que a última invenção maluca do meu pai fosse uma máquina do tempo e que essa fosse a grande surpresa.

– Cadê o Wesley?

– Seu irmão saiu com alguns amigos, deve almoçar fora.

– Ótimo, eu como a carne dele.

Por mais que eu tivesse pena das pobres vaquinhas e dos porquinhos, eu amava carne. Meu peso sempre esteve diretamente ligado ao meu estado emocional. Embora a maioria dos caras me considerassem a garota mais peculiar que já haviam conhecido, eu não era nem nunca fui a mais bonita. Eu sempre me senti diferente, mas não como as outras garotas que queriam parecer diferentes, eu simplesmente era, por dentro, por sotaque, por sorriso, por alma.

Liguei meu notebook e pensei: por que não dar uma espiada em como anda a vida virtual das pessoas? Na verdade, o status do relacionamento do meu ex. Namorando? Comigo ou com minha melhor amiga? Será que ele não teve tempo de entrar na internet ou teve tanto tempo que já fez as mudanças necessárias? Aquela dúvida me corroeu. Hora de escrever. Vamos esquecer.

Escrever e esquecer são duas palavras que, embora parecidas, não funcionam juntas. Enquanto eu escrevia, eu me lembrava. Enquanto eu me lembrava, eu sentia necessidade de escrever. Organizar aquelas palavras que ainda queimavam no meu estômago, e misturadas novamente com meus sentimentos, eram uma dor necessária. Eu realmente queria saber dizer com a mesma facilidade que tinha pra escrever.

– Olha, um recado do Matheus na minha página:

"Dan, minha linda, escute essa música… Enquanto estive fora, ela era minha maior lembrança sua. 'The Best Years Of Our Lives – Evan Taubenfeld'" – Carregando… Foi minha trilha sonora daquela e de outras noites. A semana passou assim, entre lágrimas, lembranças e sorrisos ao lado do Matheus. Eu realmente queria fazer alguma coisa interessante no final de semana. Queria descobrir um novo motivo; ter aquela empolgação guardada na lembrança para poder esquecer de vez e pensar: por que estou tão entusiasmada mesmo?

Meu pai não havia chegado como minha mãe tinha dito – no-vi-da-de. Desde que o meu pai começou a trabalhar em um novo projeto maluco, cujo nome eu não sei como se diz, ele nunca mais foi o mesmo. Eu percebia o olhar triste da mamãe, mas eu era egoísta o suficiente para me preocupar apenas com os meus problemas.

– Danieeeeeeeeeeeela, telefone pra você!

– Não precisa gritar, mãe. – Eu tinha a sensação de ficar dez anos mais velha toda vez que ela gritava comigo.

– Alô?

– Oi, Dan, aqui é o Matheus. Posso te fazer um convite?

Uma coisa interessante e legal para o final de semana, por favor, por favor, por favor!

– É o seguinte, todo começo de bimestre rola um acampamento no sítio em que o meu pai trabalha, é superdivertido, já fui várias vezes. O lugar é lindo e tem vistas incríveis. Vem comigo? Pensa nas fotos!

Passar o final de semana no meio do nada com o meu melhor amigo? Por que não?

– Claro! Eba! Obrigada por me chamar, agora já tenho um motivo para estar feliz.

– Quer dizer que o sítio é um motivo mais empolgante que eu?

– Ah, cara, você entendeu.

– Certo, passo na sua casa pra te buscar mais tarde.

– Combinado.

Óculos de sol, iPhone, protetor solar, chicletes... Mala pronta.

– Manhêêêêêê, sua filha de dezesseis anos vai acampar com o melhor amigo dela.

– Os pais deles estarão lá?

– Claro, mãe.

– Juízo, menina, você não quer ter todos esses seus pequenos problemas multiplicados por dois, quer?

Eu não preciso ter um filho pra ter meus problemas multiplicados por dois, eu só preciso ter uma melhor amiga.

Claro, eu não disse isso, apenas concordei com o que ela disse e fui pra a sala esperar minha carona. Alguns minutos depois, ele chegou sorridente. Eu conseguia sentir o seu perfume doce do último degrau da escada.

– Venha, me ajude.

– É pra já, senhorita.

Ele pegou minhas duas malas com apenas uma mão e sorriu me puxando com a outra. Quando meu melhor amigo tinha se tornado um cara forte e gostoso? Isso era inacreditável. Ele sempre foi o nerd da sala, com espinhas e aparelho.

– Olá, pais do Matheus. Olá, cachorrinho fofo do Matheus.

Depois de meia hora de viagem, o silêncio havia tomado do conta do veículo. Enquanto a paisagem passava pelo vidro do carro, não pude deixar de sentir falta de Phelipe. Nós costumávamos sair sem destino pelas estradas da redondeza sempre que a tarde parecia monótona. Acho que ele resolveu fazer isso com o nosso namoro, sair sem destino por aí. Eu odiava muito estar ali perdida e – quase – sozinha.

Não demorou muito para que o carro estacionasse em frente a um portão enorme; finalmente havíamos chegado. O sítio tinha um ar de anos 80 e, como estávamos na primavera, havia flores em todos os galhos. Enquanto procurávamos uma vaga para o carro, observei de longe grandes montanhas com dezenas de cabanas no topo. Logo após cumprimentarmos um milhão de caras quase carecas e tias de coque, fomos em direção a uma das cabanas.

– Dormiremos por aqui hoje – disse Matheus, sorrindo e largando as minhas malas no centro da cabana.

O lugar, embora não tivesse conforto algum, era incrivelmente agradável. Enquanto eu tirava algumas coisas da mala e organizava outras, Matheus acompanhou seus pais até o carro para trazer o resto da bagagem. Sua mãe era ainda mais exagerada que eu. Fazia tempo que não saía com a família Hans, eu realmente senti falta de tudo isso.

No começo do ano anterior, quando Matheus ganhou uma bolsa para um curso de artes cênicas na Inglaterra, eu me senti absolutamente sozinha. Foi justamente por isso que me tornei dependente do amor do Phelipe. Enquanto eu olhava para a paisagem e pensava em um milhão de coisas, Matheus voltou.

– Como você está, Dan?

– Melhor, bem melhor. Eu realmente não sei o que seria de mim sem...

Ele me interrompeu colando o dedo na minha boca e fazendo um "shhhh" baixinho.

– Estamos aqui para nos divertir, olha o que eu trouxe. – Matheus abriu a mochila e mostrou uma garrafa de bebida que havia roubado do bar de sua casa na noite anterior.

– Nós vamos... beber?

Não que eu nunca tivesse feito isso, mas receber um convite assim do meu melhor amigo-certinho parecia inapropriado. As coisas realmente mudaram.

– Vamos... claro, se você quiser.

Como eu não havia pensado naquilo antes? Tudo de que eu precisava era um pouco de álcool para me esquecer dos meus problemas.

– Se eu ficar mal, você cuida de mim? – perguntei, com a mesma cara daquele gatinho do Shrek. Que besta!

– Como sempre!

Um gole, duas risadas; dois goles, cinco risadas. Naquela noite nós iríamos far, far away.

A noite chegou, e lá estávamos eu e Matheus falando coisas sem sentindo no alto de uma montanha no fim do mundo.

– Ei, Matheus, acho que eu preciso ir ao banheiro.

– Com tanto mato por aqui? – disse ele pra me provocar.

– Matheeeeus!

– Ok, senhorita, vamos lá embaixo então!

Enquanto descíamos a montanha, notei que entre as dezenas de carros havia uma caminhonete vermelha conhecida. Como eu já não estava raciocinando direito, não consegui assimilar uma coisa à outra. Mas, quando cheguei até a sala onde estavam todas as outras pessoas, lembrei perfeitamente de quem era aquela caminhonete.

– Phelipe?

Se eu não estivesse bêbada, provavelmente não o faria olhar pra mim, mas, acredite, ninguém segura uma garota triste e bêbada.

– Oi, Danone, você por aqui? – disse ele com a maior naturalidade do mundo.

Percebi que naquele momento Matheus e Phelipe se encararam.

Escutei uma voz irritante que vinha bem de trás de mim. Eu reconheceria aquele timbre em qualquer lugar do mundo.

– Phê, Phê, achei o meu celular, caiu atrás do banco do carro quando...

Minha vontade de fazer xixi se transformou em vontade de vomitar, mas para ambas eu ainda precisava ir ao banheiro.

– Vamos, Matheus?

No banheiro lavei meu rosto e fiquei cinco minutos encostada na porta tentando bolar um plano para não transformar aquela noite no novo pior dia da minha vida.

– Dan, você está bem? – Matheus estava preocupado.

Abri a porta, segurei a mão do Matheus e disse:

– De volta para a montanha, senhor músculos de ferro? Dessa vez no colo. Eu realmente não conseguirei subir aquela montanha de novo. – Principalmente com aqueles dois obstáculos bem ali na sala.

Ele me pegou no colo e passou diante de todos os convidados, especialmente dos dois idiotas.

– Olha, Dan, eu realmente não quero atrapalhar sua vida... – Aquela era a minha hora de fazer "shhhh".

Após chegarmos na cabana, voltamos a beber.

– Escutou a música que te mandei outro dia?

– Sim! Gostei bastante. Quando foi que você começou a ter bom gosto musical, hein?!

– Desde sempre. Fica na sua, tá?

Dei uma risada e um último gole.

– Sabe, eu nunca fui boa em inglês, mas o ritmo daquela música realmente era lindo.

Ele se aproximou sorrindo e dizendo:

– Acho que exageramos.

– Exagerar na dose de felicidade nunca é demais. – Eu e minhas frases prontas idiotas.

Enquanto eu falava coisas sem sentido, ele segurou minhas mãos e olhou para mim como se não estivesse escutando nenhuma palavra sequer, apenas observando o abrir e fechar da minha boca.

– Ei, Mat, presta atenção em mim! – reclamei.

– Foi isso que eu fiz durante mais de dez anos.

Essas palavras entraram pelo meu ouvido e chegaram até o meu coração, bagunçando todas as minhas certezas e fazendo com que eu sentisse uma estranha vontade de beijar aquele cara. Ops, o meu melhor amigo. Era uma sensação estranha, como se o meu cérebro estivesse lutando contra o meu coração.

– O que você quer dizer com isso? – Meu coração já tinha certeza, mas meu cérebro teimoso insistia em questionar.

– Quero dizer que eu amo você.

Aquelas palavras alcançaram algumas feridas em processo de cicatrização, mas, naquele momento, eu já não conseguia pensar no que era passado ou presente ou possível futuro. Naquele momento, eu só queria corresponder àquilo.

Senti o meu corpo arrepiar quando Matheus começou a acariciar o meu rosto. Naquele momento estávamos deitados na grama olhando para um milhão de estrelas, quando ele disse:

– O brilho dos seus olhos foi o que mais me fez falta durante esses meses.

Sem que eu pudesse dizer nada, ele tirou uma mecha de cabelo que estava cobrindo parte do rosto e chegou mais perto, até que nossos lábios finalmente se encontraram. De alguma forma, eu me sentia suja correspondendo àquele beijo, afinal eu havia terminado um namoro no fim de semana anterior. Mas, analisando as circunstâncias, esse meu pseudoadultério não era nada comparado a outras putarias. Se aquela história do Phelipe era realmente verdade, naquele exato momento eu estava me apaixonando de novo. Embora beijar o meu melhor amigo parecesse algo errado, eu estava realmente disposta a continuar indo pelo caminho contrário. Afinal, até poucas horas atrás eu estava completamente perdida. Enquanto nossos perfumes se misturavam no ar, Matheus beijava o meu pescoço e dizia coisas no meu ouvido. Ele sabia como me deixar arrepiada.

– Posso te levar pra um lugar especial?

Aquela seria com certeza a primeira vez de Mat, e ele provavelmente havia criado expectativas para aquele momento. Por mais que eu não conseguisse deixar de me sentir suja concordando e aceitando tudo aquilo, desapontar Matheus não era uma opção. Eu não cheguei a responder àquela pergunta, mas o meu sorriso e o meu olhar deixaram bem claro que aquela noite era nossa. Matheus me pegou – delicadamente – no colo e caminhou por dois minutos para um lugar distante da cabana.

Uma grande fogueira ao lado de uma pequena barraca. Tentar imaginar quando e como Matheus preparou tudo aquilo era uma opção que a bebida não me deixou escolher. Seja como for, mas seja!

Sentir o corpo do Matheus sobre o meu era uma sensação única. Embora eu estivesse acostumada a dar amassos com o Phelipe, era tudo muito diferente. Meu corpo tinha suas exatas medidas. A noite passou por nós dois como um lindo e esperado cometa. Talvez já fosse a hora de fazer um pedido. Esquecer o idiota do Phelipe. Corresponder

aos sentimentos do Mat! Vamos, cupido, trabalhe nisso!
No outro dia, quando acordei, estava sozinha na cabana.
Levantei e me lembrei subitamente do que havia acontecido
na noite passada. Ressaca moral misturada com felicidade
de apaixonada: alguém precisa de mais alguma coisa para
o café da manhã no campo?

Quando olhei para fora da cabana, lá estava ele, sorridente, brincando com Blue, seu cachorro. Aquele cara era,
provavelmente, o sonho de consumo de metade das garotas da
minha cidade – embora a maioria delas, provavelmente, nunca
fosse perceber isso. Eu não queria parar de apreciar aquela
vista, mas o Matheus sentiu minha presença e se aproximou.

– Você está aí, senhora (por que ele começou a me
chamar de senhora? Até a noite passada não era senhorita?)
dorminhoca.

Eu sorri sem saber o que dizer.

– Er… O que aconteceu na noite passada…

Vez do Matheus de fazer "shhhh!".

– Você não precisa passar por isso. Nós somos melhores
amigos e entendemos um ao outro, lembra?

Eu sorri novamente; dessa vez, aliviada.

– Eu sempre amei você e, provavelmente, agora, estou
apaixonada. – Eu *disse* aquilo, eu não escrevi… Dá pra
acreditar?

Enquanto descíamos a montanha, não pude deixar
de pensar no possível encontro com Phelipe e Alice (melhor amiga piranha, meninas, melhor amiga piranha). Ele
provavelmente perceberia meu sorriso de seu-idiota-não-
-preciso-mais-de-você-pra-ser-feliz. Enquanto Matheus me
pegava no colo com a desculpa de que assim chegaríamos
mais rápido – ele tinha a capacidade de me insultar e me
divertir ao mesmo tempo –, eu sorria e, por alguns instantes,
me sentia a Danie feliz de sempre para sempre.

– Ah, Phê, para com isso, eu odeio quando você faz cócegas assim – escutei aquela voz irritante de novo... Posso retirar o feliz para sempre?

Ver os dois juntos e felizes, mesmo me sentindo bem com o que havia acontecido na noite anterior, não era algo legal. Por mais que, tenho certeza, vocês achem que eu tenha tudo a ver com o Mat, meu ex não é do tipo de cara que eu esqueceria com um simples final de semana.

Não é como nos filmes, em que o mocinho é sempre o nosso favorito. Na vida real, temos aquela mania idiota de querer o cara errado pelo simples fato de acreditarmos que podemos transformá-lo no cara certo.

Matheus segurou forte minha mão e passamos juntos por aquela barreira de lembranças. Todos os convidados do evento haviam ido a uma longa caminhada; a casa enorme estava completamente vazia. Ao chegarmos na cozinha, me pegou no colo e me colocou em cima da mesa.

– O que você vai querer, Dan? – perguntou ele com um sorriso de capa de revista.

Eu poderia responder qualquer coisa; depois de ter bebido tanto na noite anterior, um pouco de leite não faria mal a ninguém. Mas eu sentia que aquele era o momento de dizer uma coisa fofa, ele merecia.

– Você.

Ele sorriu como se não acreditasse no que estava ouvindo. Eu podia perceber suas bochechas rosadas ficarem ainda mais rosadas.

Matheus sempre foi o mais pálido e magro da turma, mas depois daquela provável temporada de academia, ele estava um lindo garoto-cor-de-leite com cabelo bagunçado.

Enquanto comíamos e conversávamos, não pude deixar de olhar pela janela. Será que meu passado ainda estava por ali? Por mais que eu quisesse que não, meus olhos o procuravam como se quisessem encontrá-lo. Sozinho. Phelipe provavelmente estava no acampamento porque o pai o havia obrigado; ele nunca foi de sair nesses encontros de família. Depois que seus pais se separaram, ele se tornou o garoto--independente-babaca da cidade. Perdi a conta das vezes que tentei conversar com ele e juntar de novo sua família.

– Oh, vocês estão aí? – se aproximou Carlos, meu ex-sogro.

– Olá, senhor Carlos, como vai? Sorri com olhos de não-me-pergunte-do-seu-filho.

– Você viu Phelipe por aí? – Merda.

– Eu o vi mais cedo no estacionamento, mas não sei onde ele está agora.

– Achei estranho que vocês não vieram juntos. Ele está com uma garota, acho que me lembro dela com você, sua amiga, não?

Minha vontade era ser mal educada e responder com meia dúzia de palavrões. Mas o senhor Carlos não tinha culpa de ter um filho idiota.

– É, acho que nos desencontramos – para sempre, pensei.

Ele sorriu, pegou um biscoito e saiu da casa da mesma forma que entrou. Do nada.

Olhei para o Matheus e dei um sorriso de eu-estou--bem-querido.

– Vamos à cachoeira?

– Aqui tem uma cachoeira?

– Sim, e não é muito longe. Pegue sua câmera, a paisagem por lá é incrível.

Mat era lindo, sabia exatamente do que eu precisava, e tenho certeza de que nunca me trocaria por ninguém.

Por que eu não posso simplesmente gostar SÓ dele? Era uma tortura beijá-lo quando os meus pensamentos ainda estavam no passado, no Phelipe. Mas, ao mesmo tempo, considerando a possibilidade de encontrar um novo amor naquela minha única – e musculosa – opção.

No caminho, enquanto fotografava algumas imagens – e Matheus atrapalhava, aparecendo em todas fazendo careta –, o tempo passava devagar, e a cada passo eu me sentia mais longe de tudo aquilo que não fazia parte de mim. Eu realmente estava me divertindo. Eu já conseguia escutar o barulho da água, era uma questão de tempo até que pudéssemos mergulhar – quando escutamos um grito:

– Mat, onde você está? – Era a mãe dele. Pela distância do grito, provavelmente estava na casa.

– Você se importa de eu ir ver o que ela quer? Você pode ficar aqui, eu vou e volto bem rápido.

– Ok, antigo senhor músculos de ferro e atual The Flash.

Eu sempre me dei melhor com os homens, então conhecia o suficiente sobre a cultura deles: jogos, desenhos e personagens.

Enquanto Matheus desaparecia entre as árvores, não pude deixar de perceber que eu estava sozinha de novo. Não que eu fosse medrosa, muito pelo contrário, sempre me senti melhor sozinha. Mas estar longe de Matheus naquele momento significava pensar em coisas. E pensar em coisas significava… sofrer. Eu estava bem, mas ainda não estava pronta para ser feliz. Talvez meu coração precisasse respirar entre um amor e outro. Entre um suspiro e outro percebi que alguém se aproximava.

– Quem está aí? – perguntei aflita.

– Sou eu, Danone.

Droga, aquela voz ainda fazia o meu coração tremer.

– O que você faz aqui?

– Preciso conversar com você.

– De novo? Não ficou satisfeito com nossa última conversa? – perguntei quase sem paciência.

– Não. Não acho que as coisas entre a gente tenham se resolvido com aquela conversa.

– As coisas entre a gente não precisam mais se resolver. Elas simplesmente acabaram.

– Você não acredita nisso, nós não acreditamos – disse ele se aproximando e sentando ao meu lado. – Olha, Danone, eu realmente me sinto mal por estar longe de você. Tudo o que passamos juntos e a forma como terminamos... tudo ainda está entalado na minha garganta.

– Ótimo – disse eu com um tom irônico –, você já tem alguém para te ajudar a engolir e digerir tudo isso.

– Você também, certo?

– O que eu faço, sinto e penso não te interessa mais. Nós deixamos de ser dois quando você fez com que nos tornássemos três – disse com uma lágrima prestes a cair. – Não é justo você aparecer toda hora na minha frente e bagunçar ainda mais meus sentimentos. Por favor. Volta de vez ou desaparece para sempre. – Eu realmente estava ficando boa com essa coisa de dizer, e não escrever.

– Eu quero apenas te ter por perto.

– Nessas duas últimas semanas eu já quis tanta coisa, e, acredite, neste exato momento, você não é uma dessas coisas.

Vi que naquele momento uma lágrima saiu de um dos seus olhos. Eu nunca tinha visto o Phelipe chorar, mas, depois de uma semana fazendo isso sem parar, aquela cena me aliviou. Sinta minha falta, desgraçado.

Ele se levantou e desapareceu instantes depois pela mata. Solidão, quanto tempo.

Todo mundo, querendo ou não, paga um preço quando começa a fingir que está feliz. Comigo não era diferente. Por mais que eu quisesse seguir em frente, aquelas frequentes conversas com Phelipe me tornavam cada vez mais dependente de lembranças. E não era apenas aquilo. Desde que tudo aconteceu, eu ainda não tinha tido tempo de sentir falta da minha (ex?) melhor amiga. Depois de mais de uma semana, aquele sentimento de raiva começava a se desgastar, e os conselhos dela começavam a fazer mais falta do que deveriam fazer. Nós nos conhecíamos desde sempre. Se aquela idiota não fosse o principal motivo de tantas lágrimas, ela me entenderia perfeitamente.

Enquanto eu observava a paisagem, Matheus apareceu com o lindo sorriso de sempre e disse:

– Minha mãe não estava conseguindo encontrar uma de suas malas. Exagerada como sempre. Hey, vamos?

– Claro – sorri enquanto levantava e limpava o meu vestido.

Caminhamos mais cinco minutos por uma trilha abandonada. Embora o céu naquela manhã estivesse sem cor, o dia parecia perfeito para um mergulho sem muitas pretensões. Percebi enquanto conversávamos que Matheus já não despertava em mim os mesmos sentimentos de sempre. Se antes ele era uma espécie de solução, naquele momento parecia mais uma incógnita com valor oculto. Eu estava cansada de tentar descobrir o resultado de tantas divisões e subtrações. Não me importava mais quantos vértices tinha aquele triângulo – que mais parecia quadrado –, eu começava a querer ser apenas um ponto perdido no universo.

Conversávamos sobre algum assunto irrelevante quando finalmente chegamos à beira de uma linda lagoa. Ficamos lá sentados durante alguns minutos. Era bom fechar os olhos e fingir que nada entre eu e Matheus tinha mudado. Eu apenas escutava suas palavras e as entendia sem usar o coração. Aquele cara ainda era apenas o meu melhor amigo. Eu tinha vontade de gritar aquilo enquanto ele dizia que me amava de uma forma diferente, mas eu me mantinha em silêncio. Fazê-lo sofrer não era uma opção.

– Vamos mergulhar? – disse ele enquanto tirava a camisa, exibindo um corpo – graças à bebida da noite anterior – quase completamente desconhecido para mim. Os meses de provável academia na Inglaterra e uma nova tatuagem, que cobria quase todo o braço, fizeram com que Matheus ficasse ainda mais atraente. Se eu não o conhecesse tanto, ele provavelmente seria "o meu tipo".

Aquela tarde passou sem que pudéssemos perceber.

Enquanto esperávamos seus pais já dentro do carro, encostei minha cabeça no ombro de Mat – eu estava realmente exausta. Ele vestia um moletom azul marinho, e sua barba estava por fazer, o calor do seu corpo foi o que me manteve quente por aqueles longos minutos de silêncio. Eu já estava quase adormecendo quando percebi o carro andar. Era hora de voltar para casa.

– Te vejo amanhã? – disse no ouvido de Matheus enquanto ele tirava minhas malas do porta-malas.

– Como sempre.

Depois de um demorado selinho, acenei para os Hans e corri para a porta de casa.

Morar perto do centro tinha suas vantagens e desvantagens; meu novo affair seria o assunto de toda a rua. "Ela já terminou com aquele bonitinho?" Outra coisa me preocupava: ter que descrever o final de semana para minha mãe. De alguma forma eu sempre voltava dos lugares de mau humor.

Eu ainda não tinha terminado de desfazer minha mala, quando o telefone de casa tocou.

– Alô? – disse, sem paciência, enquanto descascava o resto do esmalte preto da minha unha.

– Filha, é você? Que saudade! É o papai. – Por mais que meu pai já não fosse tão presente em minha vida, eu jamais esqueceria a voz dele.

– Oi, pai, por que você não volta logo pra casa? – Alguém precisava ser direta e dizer a verdade naquela casa.

– É uma longa história, filha, mas eu já estou a caminho. Devo chegar em casa em algumas horas e, escute só, tenho uma surpresa pra você. – Bem que podia ser um novo coração, imaginei.

– Eu e mamãe sentimos sua falta. Não nos desaponte mais uma vez.

– E o seu irmão?

– Ah, ok... O meu irmão também. – Eu nunca me lembrava que tinha um irmão.

Desliguei o telefone e fui logo contar a novidade para minha mãe.

– Mããe... – gritei, enquanto me aproximava da porta do seu quarto.

– Filha, você estava aí? Quando você chegou? – Eu já me sentia arrependida por ter me manifestado.

Minha mãe não ficou tão animada como de costume quando eu disse que papai chegaria naquela noite. Ela provavelmente estava cansada de criar expectativas e simplesmente ter que engoli-las com o vento em seguida. Meus pais se amavam, disso eu não tinha dúvida, mas tanto trabalho fez com que a distância adormecesse o amor que sentiam um pelo outro. Uma pena.

Depois de um banho quente e algumas palavras escritas e logo apagadas no vapor que se formava no espelho do banheiro, eu me sentei na frente do computador enquanto terminava de pentear o cabelo. A internet não estava funcionando, meu irmão provavelmente havia aprontado uma das suas. Sem internet, me senti tentada a bisbilhotar algumas imagens e históricos que sobraram da minha última operação sem-passado.

24/03/2010 23:33:55 De Phelipe para Danie:
Oi, meu amor, como você está? Vi sua mensagem agora e estou com pena de ligar e te acordar. Não tenha medo de me perder, eu nunca deixarei você sozinha. Pare com essa mania de ver adeus onde só existe eu já volto. Eu não estou deixando sinais de despedida para você. Odeio te ver insegura. Eu sou viciado em Danone, esqueceu? Te vejo amanhã cedo na aula. Guarda meu lugar se ler isso ainda hoje. Beijo, Phê.

Eu ficava imaginando se quando ele escreveu aquilo ele já não gostava de mim, ficava imaginando se um dia ele já havia realmente gostado de mim. Aquele sorriso das fotos parecia tão verdadeiro – e eu parecia tão idiota.

Eu já quase adormecia quando escutei a voz rouca do meu pai. Muitos beijos, abraços e uma inesquecível surpresa: uma linda vira-lata branca e preta que ele havia encontrado abandonada na estrada. Aquilo não era um novo coração, mas era um motivo para eu sorrir de verdade naquele resto de noite. Mesmo estando sempre longe, meu pai sabia como me fazer feliz.

Era realmente muito bom estar perto de um homem que me amava de verdade sem esperar nada por isso.

Deixei meus pais e meu irmão conversando na cozinha e levei a minha mais nova amiga para o quarto. Aquele pequeno animal ainda sem nome escutaria muitos desabafos naquela noite.

O único problema de o meu pai estar em casa era o simples fato de a minha mãe esquecer da minha existência. Ela sabia exatamente o quanto eu odiava acordar atrasada, mas esquecia toda vez que estava "ocupada demais" sendo feliz. Parece egoísmo, mas a ideia de crescer e ser independente me assustava muito. Em dias mais tristes, eu costumava me trancar no banheiro – o único lugar seguro e com chave da casa – só para chorar encostada na porta sem que ninguém percebesse. Eu odiava parecer fraca. Odiava ouvir o meu irmão dizer que todos os meus problemas eram resolvidos com choro – quem dera!

Eu era do tipo de garota "durona", que acumulava meses de angústia, para depois desabar por algum motivo idiota, quase sempre implicância feita pelo resultado de um bendito sexo sem prevenção da minha mãe – meu irmão. De alguma forma, meu humor estava sempre diretamente ligado à minha vontade de chorar. Eu começava a chorar por raiva, mas quase sempre terminava por amor.

Abri meus olhos naquela manhã sem acreditar que o final de semana já havia acabado; eu odiava as segundas e suas melancolias. Do meu quarto eu conseguia ouvir vozes na cozinha, mas não foi isso que me fez levantar. Eu já quase adormecia novamente, quando recebi uma lambida gelada e nojenta na minha mão direita, que caía para fora da cama.

– Olá, amiguinha! – Sorri enquanto pegava a cadelinha ainda sem nome no colo. Pelo menos alguém naquela casa me dava bom dia.

Meus pais estavam terminando de tomar o café quando surgi na cozinha com um sorriso de que-bom-que-vocês-lembram-de-mim!

– Já escolheu o nome dela? – perguntou meu pai sorrindo, provavelmente para quebrar o silêncio.

– Ainda não... Tem alguma sugestão? – perguntei para o meu pai, mas com a certeza de que o meu irmão responderia.

– Sazuki – gritou o meu irmão, confirmando minha tese.

– Ela não é um desses seus desenhos animados idiotas. Shiu!

– Filha! – meus pais disseram em coro, quando escutaram minha frase. Eles não queriam que eu fosse legal com ele aquela hora da manhã, queriam?

Fui para o meu quarto com um copo de leite na mão e uma torrada na boca. Hora de desarrumar meu guarda-roupa, quer dizer, escolher uma roupa para ir à escola. Eu nunca tive o corpo perfeito, mas a maioria das roupas caíam bem em mim. Embora meus pais sempre falassem que puxei o porte do meu avô, eu nunca me considerei uma garota alta. A maioria das meninas media quase a mesma coisa que eu. Mas, se meus pais queriam me chamar de alta, quem era eu para impedir?

Minha cama já estava quase soterrada quando vi no fundo da gaveta uma de minhas blusas prediletas. Eu adorava estampas, principalmente quando elas tinham alguma frase em inglês. Qual é a frase daquela blusa? "I Don't Love You Anymore." Não que eu quisesse que o Phelipe visse. Não que fosse uma indireta. Era aquela, apenas aquela.

Eu não costumava abusar da maquiagem, mas não saía de casa sem um delineador. Isso meio que era minha marca registrada, ninguém da sala sabia passar como eu, era legal ser a única. Isso até eu ensinar para a Alice, e ela usar diariamente e todo mundo reparar. Claro.

Quando me vi pronta no reflexo do espelho percebi que aquela Danie com olhar triste estava indo embora e deixando em seu lugar a velha Danie de sempre. A Danie que amava ser observada.

Bolsa. Chave. Dinheiro. Celular. Livros.

– Tchau, família feliz! – disse, enquanto descia as escadas sem olhar para baixo. Eu adorava pensar que sabia de cor a distância de cada degrau. Louca, eu?

Mesmo sem ter absolutamente nada aparentemente diferente das outras meninas da minha idade, as pessoas – em especial as crianças – daquela pequena cidade onde nasci pareciam não conseguir tirar os olhos de mim. Eu, egocêntrica como era, amava isso.

Meus passos de casa até a escola sempre seguiam os compassos da música do meu fone de ouvido. Eu tinha uma paixão por lentas, então a pequena distância da minha casa até o colégio se transformava em trinta minutos de muitos pensamentos e olhares – ou desvios.

Tudo ficaria bem se, naquela manhã, do outro lado da rua não estivesse minha melhor-amiga-piranha. Ela era linda e sabia exatamente como usar a beleza a seu favor. Andava suavemente, mas ainda assim parecia uma daquelas magrelas modelos de passarela. Eu odiava isso. Nós nos conhecemos no jardim de infância. Naquela época, eu era extremamente tímida, e ela era exatamente o contrário. Dupla perfeita? Até começar a competição. Ela amava tudo o que eu amava primeiro, e eu não estou falando só do meu namorado. Eu a via como um reflexo – melhorado – meu. Seu cabelo sempre foi mais liso, mais comprido e mais sedoso que o meu. Deus, por que o meu corte caía tão melhor nela?

Apertei o passo e segui em frente, deixando minha "melhor amiga" para trás, como se ela não passasse de uma desconhecida qualquer. A ideia de fazer ela se sentir assim me deixava um pouco melhor. No fundo, nunca entendi como as pessoas conseguiam simplesmente "seguir em frente", era realmente difícil para mim.

Enquanto esperava para atravessar a rua, percebi que do outro lado estava Phelipe, olhando fixamente em minha direção. Ok. Na verdade, eu não tinha certeza se era realmente para mim, ou para alguém – você sabe quem – que provavelmente estava logo atrás. Nossa! Que ótimo, eu estava disputando o olhar do meu ex com a minha ex--melhor-amiga. Quanta humilhação!

Atravessei a rua como se nada daquilo estivesse passando pela minha cabeça. Na teoria, aquela história já era página virada. Cof, cof, cof! Naquele momento, como em todas as vezes que imagino os dois juntos, tive vontade de correr para o banheiro e vomitar. Mas fui forte. Sorri e continuei caminhando até o enorme portão azul. Eu deveria ganhar um prêmio de melhor atriz do século por momentos como esse, né?

Não sei se contei, mas o colégio havia passado por uma reforma recentemente. O prédio antigo – o que naquela cidade não era antigo? – agora tinha novas cores, espaços e janelas. Para mim, nada daquilo fazia a menor diferença. Eu sentia mesmo era falta do lugar onde estudava antes, com o Matheus. Quando e onde tudo era mais simples, e os meus principais problemas eram resolvidos com uma tarde inteira estudando para prova.

Nossas famílias programaram essa mudança de escola desde que ainda estávamos para nascer. Uma escola federal era tudo o que o meu futuro precisava para ser seguro – eu queria que eles estivessem pensando é no nosso presente.

Enquanto eu caminhava pelo corredor procurando algum rosto conhecido, esbarrei em uma aluna que estava perto dos armários.

– Desculpe! – disse, enquanto pegava os meus livros no chão.

– Não se preocupe, a culpa foi toda minha.

– Você é nova por aqui?

Eu sabia o nome de quase todos os alunos da escola ou, dos que não sabia, conhecia pelo menos de vista. Ela era bem diferente das pessoas que eu costumava ver naquela cidade.

– Sim, cheguei esse final de semana de São Paulo. Sou nova na cidade, pretendo ficar uns tempos por aqui.

– Meus pêsames! – disse sorrindo, enquanto levantava.

– Você é de que turma?

– 2° B.

Ela precisou olhar a turma numa espécie de anotação que estava na palma de sua mão. Não pude deixar de reparar nesse momento nos anéis que usava. Eram lindos e estilosos. Daqueles que a gente só vê em foto do Tumblr.

– Seremos colegas de classe então.

Era realmente bom ter uma colega – quem sabe um dia, amiga – de fora por perto. Aquela garota não era bonita, mas tinha um charme típico de atriz americana. Tipo Emma Stone. Sua pele era tão branca quanto a minha, e os cabelos eram longos e ruivos – aparentemente naturais. Tinha uma mania engraçada de piscar toda vez que sorria. Era desajeitado, mas não irritante. Fofinho.

Logo que coloquei minhas coisas na mesa, escutei o alerta de nova mensagem no celular. Era o Matheus justificando o atraso. Na verdade, graças ao horário do ensaio naquele dia, talvez não conseguisse chegar a tempo para a aula.

– Que falta de educação a minha, nem perguntei o seu nome – disse enquanto tentava chamá-la para sentar no fundo da sala.

– Marília, mas gosto que me chamem de Lia. E o seu?

– Daniela. Mas você só pode me chamar assim quando estiver realmente brava comigo. Por enquanto, só Dan.

Naquele dia, conversávamos bastante sobre São Paulo. Sempre tive vontade de morar na cidade grande. Lia me falou das melhores e piores coisas de morar em uma cidade grande. Minha vontade só aumentou.

Quando percebi a presença do "casal do ano" na sala, engoli a saliva, respirei fundo e continuei conversando como se não tivesse acontecido nada dentro de mim.

A aula naquele dia passou bem rapidinho. A maioria dos professores levou um tempo pra apresentar a aluna nova pra classe.

Depois do sinal, voltamos juntas pra casa. Como ela disse que estava morando no centro, decidi que faria um caminho alternativo pra conversarmos por mais tempo. Fazia tempo que eu não tinha um papo legal com uma garota da minha idade. A maioria das meninas da minha sala só sabia falar de festas, vestidos e famosos. Preguicinha!

– Você já amou alguém? – Talvez eu estivesse afim de chegar logo no tema relacionamentos. Pra desabafar e pedir uma opinião feminina e sincera.

– Já. Foi lindo. Intenso. Mas infelizmente não durou o quanto eu esperava. O cara desapareceu depois da nossa primeira noite. Ele foi embora naquele dia e nunca mais voltou. Essa mudança tem, na verdade, um pouco a ver com essa história toda. Mas isso é algo que vou te contando aos poucos. Não quero te assustar.

Depois que disse isso, ela suspirou, deixando bem claro que aquela ferida era recente e ainda doía.

– Assustar? Minha vida sentimental daria um livro, Lia. Certeza. Eu já me apaixonei sim. Namorei por dois anos um cara que eu acreditava ser o cara da minha vida. Tínhamos feito planos de viajar juntos e, depois da faculdade, casar. Acredita? Aí aconteceram umas coisas. Me decepcionei bastante com pessoas em quem eu confiava. Mas, por sorte, Deus sabe o que faz, e tem colocado boas pessoas no meu caminho. Aliás, você tem que conhecer meu melhor amigo, ou melhor, rolo.

– Nossa! Tô vendo que teremos muito o que conversar. Agora tenho que entrar. Te vejo amanhã?

– Claro! Até lá. Não esquece de me adicionar quando entrar na internet. Quero ver se consigo descobrir onde esse tal garoto aí foi parar. Sou uma ótima espiã.

Depois que nos despedimos, Lia entrou em uma casa que funcionava como república pra alunos de outras cidades que vinham estudar no colégio federal. Já tive alguns conhecidos que moraram lá, mas todos já haviam se formado há alguns anos.

Cheguei em casa faminta e desejando muito que o almoço fosse batata frita ou lasanha. Conversar com Lia me deixou com vontade de deixar de lado o posto de rainha do drama da cidade. Talvez a vida estivesse me mostrando que, uma hora ou outra, a gente tem que parar de tentar esquecer.

Meus pais não estavam em casa, e meu irmão estava brincando na sala com minha cadelinha ainda sem nome.

Almocei rapidinho e fui logo pra internet. Vi uma nova solicitação de amizade. Era Lia. Mandou junto uma mensagem: *"Ótimas notícias, espiã: você já conhece o meu fugitivo sem coração. Ele está na sua lista de amigos. Não vou dizer mais nada, porque quero deixar você usar suas habilidades. Ele não é um amigo em comum, porque, quando se mudou, me deletou também das redes sociais. Veja bem como estamos todas rodeadas por idiotas. Boa sorte!"*

Passei toda a tarde imaginando qual dos caras da minha lista de amigos poderia ser o tal sujeito. Vitor? Ele não fazia o estilo dela. Fernando? Mas ele nem estava fora da cidade. Lucas? Voltou já faz um tempinho. Pelo que ela me disse, o caso todo era recente.

Tive que desligar o computador antes de cumprir minha missão, porque os meus pais chegaram. Os dois comentavam um fato recente da vida de alguém. É incrível como em cidade pequena todo mundo sente uma necessidade enorme de expor suas opiniões sobre a vida alheia. Ignorei totalmente o assunto, como sempre, e me juntei ao meu irmão, que ainda brincava na sala com a cadelinha sem nome.

Fiquei por ali até escutar o toque do meu celular no quarto. Tinha recebido duas novas mensagens. Uma do Phelipe, outra do Matheus. Os dois queriam conversar, e o assunto era urgente.

Liguei pro Matheus, e, antes mesmo que eu pudesse dizer oi e perguntar do ensaio, ele começou a falar:

– Olha, Dan, eu realmente sinto muito. Não queria ter enganado você. Na verdade, a última pessoa do mundo que eu queria magoar era você. As coisas foram acontecendo, e, quando me dei conta, já tinha feito tudo.

Olhei para o celular só para garantir que tinha ligado para a pessoa certa.

– Do que você está falando, Matheus? Pirou?

– Ainda não te contaram? Nossa, que bom. Preciso te ver agora. Por favor, vai para o seu quarto e fica lá até que eu chegue aí. Tudo bem?

– Gente! O que aconteceu? Você fala como se estivéssemos sendo atacados por extraterrestres.

– Dan, promete que não vai sair?

– Tá! Mas não demora.

Finalizei a ligação sem entender absolutamente nada. Do que será que meu amigo estava falando? Mentiras? Por que tanta preocupação com o fato de eu sair de casa? Para não pirar com tanta interrogação, resolvi tentar responder pelo menos uma, a única que não dependia da chegada dele: a mensagem do Phelipe.

Liguei para o Phelipe sem nem olhar o número na agenda. Queria fazer um teste para saber se ainda lembrava. É claro que lembrava. Passei os dois últimos anos ligando para ele, toda noite.

– Alô! Phelipe? O que você quer comigo?

– Meus pais me contaram o que aconteceu. Sinto muito. Você não merecia mais isso. Juro que se eu pudesse voltar no tempo não teria deixado você ficar com aquele imbecil.

– Gente! Até você não está falando coisa com coisa?

– Ainda não te contaram?

– Não. Mas você vai. AGORA.

– O Matheus enganou todo mundo. Ele nunca fez intercâmbio pra lugar nenhum. O idiota gastou toda a grana dos pais em São Paulo. Com festas, musculação e garotas. Parece até que andou se metendo em confusão das feias. Vieram atrás dele da cidade grande.

É claro que, assim como você, nesta altura do campeonato, eu já tinha sacado que o tal fugitivo da Lia era, na verdade, o meu melhor amigo. E que, assim como todos os outros caras que conheci na vida, ele tinha me enganado.

Desliguei o telefone antes de conseguir dizer qualquer coisa. Tudo começou a girar, e eu só acordei quando minha mãe bateu na porta anunciando a chegada de Matheus.

Abri os olhos desejando mil vezes que aquele sentimento e aquelas palavras que escutei minutos antes, pelo celular, fossem só mais um daqueles pesadelos de que a gente acorda em dúvida se são reais ou não, e dá graças a Deus por serem só fruto da nossa imaginação. Bom, nesse caso, como eu e você sabemos muito bem, não era.

Matheus passou pela sala sem nem cumprimentar direito meus pais. Parecia ter corrido uma maratona. Suas bochechas brancas estavam coradas, e os olhos, vermelhos de, talvez, tanto chorar no caminho. Estava claramente desesperado. Sentou ao meu lado e disse, tentando me segurar pelas mãos:

– Sei que você não vai querer mais olhar na minha cara. Sei que agora entro oficialmente para a lista de caras idiotas que te fizeram sofrer. Mas me escuta, eu preciso te explicar os motivos.

– Explicar? Lista? Do que diabos você está falando, cara? Durante todos esses anos, eu me sentia, apesar dos tombos e dos amores não correspondidos, uma garota sortuda por ter um amigo tão verdadeiro como você – desabafei.

– É esse o problema. Você sempre gostou mais dos caras idiotas. Que não se importavam realmente com seus sentimentos. Quantas vezes eu te vi aí, nessa cama, chorando por alguém que nem sabia o nome da sua banda predileta, hein?

– Pois é! Parabéns! Agora você está me vendo chorar por alguém que sabe o nome da minha banda predileta.

– Não é assim, Dan.

– Não? Então me fala como é!

– Eu não aguentava mais te ver feliz com o idiota do Phelipe. Você só falava do quanto ele era especial pra você. Do quanto aquela cena do seu filme predileto te lembrava ele. Ele, sempre ele. O jeito que encontrei de fugir disso tudo foi viajando.

– Tá! Mas pra estudar! Na Europa!

– Seria, se eu tivesse passado naquele último teste. Aquele de quando você me ligou já me dando parabéns antes mesmo de saber se eu tinha conseguido ou não.

– Então agora a culpa é minha?

– Não. Mas é que você estava tão ocupada sendo feliz com o Phelipe que resolvi parar de te amolar com os meus problemas. Peguei a grana dos meus pais e fui pra São Paulo.

– Grande ideia.

– Parecia o melhor jeito na época. Por lá, as coisas foram acontecendo, e quando dei por mim, estava sem grana em uma lan house tentando saber notícias suas. Foi aí que descobri sobre o término e voltei.

– E a parte em que você me conta toda a verdade?

– Se eu te contasse toda a verdade, você me acharia um idiota – Acharia mesmo! –, e eu jamais teria a chance de te conquistar. Por acaso você tem ideia de como é viver alimentando um sentimento impossível na sombra de um relacionamento perfeito?

– Não pense que você me conhece. Eu achei que conhecia, mas pelo visto você não sabe absolutamente nada sobre mim.

– As coisas estavam indo tão bem. Nós nos acertamos, e você finalmente tinha percebido que ele não era o cara certo pra você.

– E você é?

– Não. Agora tenho certeza disso.

– Que ótimo!

– Recebi um telefonema pela manhã, da família de Lia. Uma garota que conheci na viagem. Nós nos envolvemos, mas pra mim não foi nada de mais. Parece que as coisas fugiram do meu controle – disse, chorando –; ela engravidou. Segundo os pais dela, semana passada, a garota fugiu de casa desesperada com uma grana e veio para o interior tentar me encontrar.

Minha vontade era mandar ele calar a boca e trabalhar logo na construção de uma máquina do tempo. Daquelas em que a gente escolhe o ano e volta só com um click. 2006, por favor. Mas não, ele continuou falando e contando, mentira por mentira, sobre como ele se tornara o cara mais desprezível que conheci em toda minha vida.

– Conheci essa garota na escola hoje cedo. Ela se matriculou semana passada, provavelmente pra entrar na sua vida e te convencer de que ela poderia ser a garota dos seus sonhos. Meu Deus, por que essas coisas só acontecem comigo? – falei, chorando e jogando todas as coisas da penteadeira no chão.

– Eu só queria ser feliz! Matheus, quero você fora do meu quarto, da minha vida, dos meus sonhos e, se possível, até das minhas lembranças. Cansei de tanta mentira. Cansei de explicações que não mudam nada do que eu sinto. Acabou amizade, acabou amor, acabou admiração. Acabou tudo.

Gritei tanto que meus pais apareceram e pediram pra ele se retirar. Nunca vi meu pai tão nervoso e alterado como naquela noite. Dormi sem saber o que doía mais: a cabeça ou o coração.

Sabe, às vezes queria poder tirar férias de mim mesma. Acordar com outra pele, em outra cidade, numa outra vida. Fingir que sou uma daquelas garotas que saem todo final de semana e são absolutamente conformadas – e resolvidas – com o mundo dos adultos. Pra mim, tudo fica, a cada dia, muito mais complicado. E eu ainda nem terminei o ensino médio.

Acordei naquela manhã pensando em usar um lápis de olho pra fazer nascer em mim uma catapora supercontagiosa. Daquelas de que ninguém pode se aproximar.

Era mais ou menos isso, mas o que era contagioso em mim naquele momento era a tristeza. Tinha perdido, de vez, o gosto pelas pessoas. Não queria ver ninguém, falar com ninguém. Só ouvir minhas músicas e continuar trancada dentro do quarto.

Minha mãe entendeu toda a confusão e até tentou entrar algumas vezes de madrugada. Mas eu disse que precisava mesmo de um tempo.

No outro dia, depois de perder o horário e não ir à aula, acabei me rendendo à internet. Phelipe me viu online e logo veio puxar papo.

– Está tudo bem?

– O que você acha?

– Queria tanto te abraçar.

– Pena que a distância entre o querer e o poder tem nome, endereço e número de tintura de cabelo, né?

– Para com isso... Eu queria mesmo te ver.

Fiquei alguns minutos sem responder. Mas queria muito saber até onde iria essa suposta vontade. Levando em consideração minha carência e meu descontentamento com Matheus, me entender com Phelipe parecia uma boa punição. Como se eu não quisesse isso desde o começo. Quem foi que disse que a história não poderia ficar mais complicada?

– Então você já se cansou da Alice? Rápido.

– Não seja irônica.

– Ah, é verdade, nesta história só posso ser a idiota.

– Não é isso. Você sabe muito bem. Esta história, infelizmente, envolve mais gente. Mais poder. Mais dinheiro.

– Errou a janela?

– Tudo bem. Desisto. Chega de esconder o jogo. Vou te contar toda a verdade de uma vez por todas.

– Mais verdades! Que beleza.

– Posso passar aí?

– Ok.

Phelipe chegou alguns minutos depois, e foi anunciado com um pouco de receio pela minha mãe. Quando eu disse que ele poderia entrar, minha mãe arregalou os olhos como quem dizia "você tem certeza disso, minha filha?".

Phelipe chegou e já foi logo me dando um abraço daqueles. Sabia muito bem que eu estava realmente na pior, e, quando ainda estávamos juntos, era a única coisa que me deixava melhor. Não vou mentir, ele sempre foi um namorado carinhoso. Daqueles que ligam de madrugada e que, no aniversário ou em datas especiais, programam uma surpresa inesquecível. Era claramente o mais envolvido na relação. Tudo isso só tornava aquelas circunstâncias ainda mais bizarras. Ninguém nunca imaginou que ele pularia fora primeiro.

Mas eu fui a primeira namorada do cara. Por isso, mais cedo ou mais tarde, eu talvez até entendesse uma possível vontade dele de conhecer a vida, outras mulheres e o mundo. Mas minha melhor amiga? A cópia não autorizada da minha pessoa? Na-na-ni-na-não.

Phelipe era provavelmente a paixão platônica de todas as meninas mais novas.

– Você não tem noção do quanto tive que me segurar pra não ir lá dar uma boa lição naquele cara.

– Ah, claro! Depois aproveita e faz o mesmo com você. Assim consigo me vingar por completo. – Por que os garotos se sentem mais homens quando falam de violência?

– Você fala como se...

– Como se não te amasse? Sabe, Phê, eu te amei sim. Pra falar a verdade, você foi a pessoa que mais amei neste mundo durante boa parte da minha vida. Todas as minhas amigas diziam querer conhecer um dia um cara que despertasse nelas o desejo de ter filhos e um casamento típico de último capítulo de novela. Eu me enchia de alegria quando lembrava que tinha você, quando, naqueles dias, passava a madrugada lendo nossos históricos só pra ter certeza de que não deixei escapar nenhum pouquinho de nós dois. Todos os meus cadernos tinham o seu nome do ladinho do meu. Todos os meus textos tinham um personagem bem parecido com você. E a melhor parte de tudo isso era que, pela primeira vez na vida, eu tinha certeza absoluta de que era real. Mas você provou que não...

– Você não entende, né? Eu tive que te deixar.

– Qual é? Não vem com essa. Nesta vida, a gente tem sempre duas opções.

– No meu caso, as duas eram complicadas. Tive que escolher entre você e a união da minha família. Eu não suportaria ser o culpado de ver tudo desmoronando de novo. Você sabe muito bem disso.

A família do Phelipe era praticamente toda da política. Viviam tentando esconder podres e polêmicas. Em época de eleição, se aproximavam das famílias mais ricas.

Nosso namoro sempre foi um pequeno problema. Minha família não é rica nem se preocupa com poder. Eu não era a namorada ideal.

Já Alice, essa sim, era a nora que todo político pediu a Deus. Filha de um dos empresários mais importantes da cidade, vivia em um hotel da família e já tinha viajado pela Europa tantas vezes que até perdeu a graça.

– Você trocou tudo aquilo que tínhamos por... votos?

– Troquei pela felicidade da minha família. É diferente.

– Diferente? Isso só prova que você é absolutamente igual a todos os seus tios e primos que andam por aí de terno e gravata e, como todo mundo sabe, roubam grana pra bancar viagens e luxos.

Naquele momento eu queria ser forte o suficiente pra jogá-lo pela janela. Mas a única coisa que consegui foi ceder a uma tentativa de abraço. A gente se apertou um contra o outro por alguns bons minutos.

Apesar de aquilo ser a coisa mais imbecil que já tinha ouvido, pelo menos agora eu tinha certeza de que o sentimento era real.

– Foge comigo?

– Está louco?

– É sério. Tenho uma grana no banco. Uma economia das mesadas que ganhei nos últimos anos. Não é muito, mas é o suficiente pra gente se virar por um tempo na Europa. Podemos arrumar um emprego, construir uma vida. Fazer faculdade e, depois, se você quiser, voltar e construir uma família.

Fugir parece sempre a melhor alternativa quando a outra opção é ficar e assumir todos os riscos e consequências. Mas naquele momento eu não queria mais aventuras. Queria ter aquela sensação de ser uma garota normal. Ficar em dúvida na hora de fazer a matrícula do vestibular e passar uma tarde em casa assistindo filme e fofocando com as amigas.

Já tinha visto aquela história antes. Em alguma série ou algum livro que provavelmente estava perdido em algum lugar do meu quarto.

No final das contas, o que eu queria mesmo era um cara que estivesse disposto a enfrentar a vida real por mim. E não fugir.

– Desculpa, Phelipe, mas não posso. Você bagunçou minha vida demais. Será que não entende que jogar tudo fora não é o melhor jeito de consertar as coisas? Se quiser, voltamos agora mesmo. Mas você vai ter que contar toda a verdade e assumir seus erros. Publicamente.

– Mas, Danone, isso custaria a eleição do meu pai.

– Então esquece. Me esquece.

– Não é fácil assim.

– Nunca é, mas a gente sempre consegue. A vida, infelizmente, não costuma ser como as letras das músicas da Katy Perry. Vai por mim, logo, logo você me esquece.

Me afastei e caminhei até a porta.

Aquela talvez tenha sido a decisão mais difícil que tomei na minha adolescência inteira. Naquela época, eu realmente precisava tomar uma atitude e parar de deixar as coisas acontecerem e apenas ficar observando como se não se tratasse da minha própria vida.

O amor é importante, mas sem sonhos e confiança nossa existência perde totalmente o sentido. Não vou negar para vocês, eu queria – e ainda quero – conhecer um príncipe encantado, mas, mais do que isso, queria ter meu próprio reino antes de isso acontecer. Então, enquanto minha realidade é outra, continuo estudando para o vestibular e, nas horas vagas, contando minha vida para uma folha em branco. Aqui não tem mar, então vai que um dia o vento leva e alguém encontra uma delas por acaso, lê e se apaixona? Espero que até lá eu já esteja pronta – e sem um passado que me prenda.

Leia este livro ouvindo

Jaymay - Never Be Daunted

Paul McCartney - Maybe I'm Amazed

Yellowcard - Dear Bobbie

Diwali - A Gente

Biquini Cavadão - Quando Eu Te Encontrar

3 Doors Down - Here Without You

Avril Lavigne - Tomorrow

John Mayer - Slow Dancing In A Burning Room

Bright Eyes - First Day Of My Life

Coldplay - The Scientist

P!nk - Who Knew

Pablo Dominguez - Cravo e Canela

Tegan & Sara - Call It Off

Regina Spektor - Folding Chair

Joshua Radin & Ingrid Michaelson - Sky

John Legend - Ordinary People

Leoni - Garotos

Kelly Clarkson - Breakaway

Se tem uma coisa que aprendi com o tempo é que o fim, às vezes, é só mais um motivo para a gente começar de novo. Neste caso, um motivo para fazer com que os outros comecem também. Aonde quero chegar? Que tal contar o que você achou dos meus textos nas redes sociais? Use a hashtag #livrodepoisdosquinze para dar sua opinião, encontrar a de outros leitores ou simplesmente compartilhar seus trechos preferidos do livro. Ah, e se você tiver um blog ou tumblr, pode fazer uma resenha especial mais detalhada. Faço questão de ler todas. Acreditem, a opinião de vocês é sempre muito importante para mim! :-)

É isso. Até o próximo livro.
Com carinho, **Bruna Vieira.**

www.depoisdosquinze.com
www.facebook.com/depoisdosquinze
www.twitter.com/brunavieira